THE
Archive Photographs
SERIES

SIR DDINBYCH
DENBIGHSHIRE

Y Bylciau, Y Stryd Fawr, Dinbych, Mehefin 1959. Aros am y bws yn haul y gwanwyn. Cadwyd y colonâd fel nodwedd trwy ailadeiladu ac adnewyddu o leiaf pedair canrif. Mae'r bloc sy'n ei gynnwys i'w weld ar fap Speed o Ddinbych dyddiedig 1610.

The Piazza, High Street, Denbigh, June 1959. Waiting for the bus in the spring sunlight. The colonnade is a feature which has been retained through rebuilding and refurbishment for four centuries at least. The block of which it forms a part can be seen on the Speed map of Denbighshire (1610).

THE
Archive Photographs
SERIES

SIR DDINBYCH
DENBIGHSHIRE

Compiled by
Denbighshire Record Office

CHALFORD

First published 1996
Copyright © Denbighshire Record Office, 1996

The Chalford Publishing Company
St Mary's Mill, Chalford,
Stroud, Gloucestershire, GL6 8NX

ISBN 0 7524 0655 8

Typesetting and origination by
The Chalford Publishing Company
Printed in Great Britain by
Redwood Books, Trowbridge

Also published in the *Archive Photographs* series

Sir y Fflint/Flintshire (Flintshire Record Office, 1996)
Ynys Môn/Isle of Anglesey (Philip Steele, 1996)

Sgwâr Sant Pedr, Rhuthun, tua 1900. Ymddangosodd y ffotograff hwn ar gerdyn cyfarch a argraffwyd gan Arthur Williams, 6 Stryd y Ffynnon, Rhuthun, y 'Siop Nain' presennol. Ar ôl tân fe gymerwyd lle siop grocer Hughes (ar y chwith), oedd ar safle hen dafarn y Queen, gan y Swyddfa Bost bresennol. Saif y cloc hyd heddiw yn goffeb a godwyd ym 1884, i Joseph Peers (1800-83) a oedd am hanner canrif yn Glerc i Ynadon Heddwch Sir Ddinbych.

St Peter's Square, Ruthin, c. 1900. This photograph appeared on a greetings card printed by Arthur Williams, 6 Well Street, Ruthin – the present 'Siop Nain'. After a fire, Hughes' shop (on the left) which had replaced the Queen public house, was replaced by the present post office. The clock still stands as a memorial, built in 1884, to commemorate Joseph Peers (1800-83), Clerk of the Peace to Denbighshire magistrates for fifty years.

Cynnwys
Contents

Dyffryn Clwyd o Gastell Dinbych, tua 1860. Golygfa o'r dyffryn yn ymestyn o'r castell i'r tŵr jiwbili ar Foel Fammau sydd o flaen yr artist Rhamantaidd. Ymwelodd William Wordsworth â'r ardal ddwywaith yn y 1790au gan ei ddisgrifio fel 'the most delicious of all vales'.

Rhagarweiniad

Gan W. Rhys Webb OBE, YH, Cadeirydd Cyngor Sir Ddinbych.

Rwy'n falch iawn i gyfrannu rhagarweiniad byr i'r casgliad hwn o hen ffotograffau o'r Sir Ddinbych newydd. Dyma'r llyfr cyntaf o'i fath i ddelio efo'r sir i gyd, ac mae'r cyfuniad o'r hen a'r newydd yn hollol addas. Er bod y sir newydd yn cynnwys ardaloedd oedd yn hanesyddol yn hen siroedd Dinbych, Fflint a Meirionnydd, mae'r trefi a'r pentrefi eu hunain, y bwrdeistrefi hynafol, y plwyfi, y pentrefi bychan a'r treflannau gwasgaredig gwledig yn rhannu gorffennol cyfoethog, amrywiol sy'n aml yn cydgysylltu'n glos efo'i gilydd.

Nid hanes sirol yw hwn ond cyfres o luniau sy'n adlewyrchu beth sy'n gyffredin rhwng ein cymunedau yn osgystal â'u hamrywiaeth daearyddol a chymdeithasol. Mae bwrdeistrefi Rhuddlan, Dinbych a Rhuthun wedi chwarae eu rhan ar y llwyfan cenedlaethol; bu Y Rhyl, Prestatyn a Llangollen yn arloeswyr yn y diwydiant ymwelwyr. Mae canolfannau fel Corwen wedi cyflenwi cyfleoedd ar gyfer masnach, cysylltiadau a busnes am ganrifoedd a chyfleusterau ar gyfer amrywiaeth o weithgareddau cymdeithasol a diwylliannol. Roedd pentrefi yn darparu marchnadoedd a ffeiri, crefftwyr, siopau a chanolfannau difyrrwch, diwylliant a chrefydd. Mae gennym yma ffeiri ac eisteddfodau, corau a thripiau siarabang, capeli a thafarndai. Mae byd gwaith yr un mor amrywiol, o gyflenwyr gwasanaethau hanfodol, yr heddlu, brigadau tân a thrafnidiaeth, i mwyngloddio plwm, chwarela, pysgota, amaethyddiaeth a gweithwyr tymhorol y glannau.

Mae'r ffotograffau wedi eu dethol o gasgliad yn archifdy a llyfrgelloedd y sir, ac o gasgliadau preifat lle mae eu perchnogion wedi caniatáu'n garedig i'w dangos i gynulleidfa ehangach. Maent yn ffynhonnell bwysig, yn gymaint yn ran o'n treftadaeth â'n cestyll a'n safleoedd hanesyddol. Dylai unrhywun sydd eisiau gwneud cyfraniad i'r casgliad, gysylltu â'r Archifydd Sirol a fydd yn falch i drefnu i'w hychwanegu at yr archif.

Nid yw'r detholiad hwn yn gynhwysfawr a bydd rhai cymunedau heb eu cynrychioli, ond rwy'n gobeithio ei fod yn cyfleu argraff o'n sir yn y gorffennol ac yn rhoi blas i ymwelwyr a thrigolion o'r cyfoeth a ddaw wrth ddod i'w hadnabod yn well.

W. Rhys Webb

The Vale of Clwyd from Denbigh castle, c. 1860. The sweep of the vale from castle to the jubilee tower on Moel Fammau lies before the Romantic artist. William Wordsworth visited the area twice in the 1790s and described it as 'the most delicious of all vales'.

Introduction

By W. Rhys Webb OBE, JP, Chairman of Denbighshire County Council

I am very pleased to contribute the short introduction to this collection of old photographs of the new county of Denbighshire. It is the first such book which deals with the county as a whole, and the combination of new and old is quite appropriate. Although the new county includes areas historically in the old counties of Denbighshire, Flintshire and Merioneth, the towns and villages themselves, the ancient boroughs, parishes, hamlets and scattered rural townships share a rich, varied and yet often closely connected past.

This is not a county history, but a series of images reflecting what our communities have in common as well as their geographical and social diversity. The boroughs of Rhuddlan, Denbigh and Ruthin have played their part on the national scene; Rhyl, Prestatyn and Llangollen were pioneers of the tourist industry. Centres such as Corwen have provided opportunities for trade, communications and commerce for centuries, and facilities for a wide range of social and cultural activities. Villages provided markets and fairs, craftsmen, shops and centres of entertainment, culture and religion. We have here fairs and eisteddfodau, choirs and charabanc trips, chapels and alehouses. The world of work is as varied, from providers of essential services – police, fire brigades and communications – to lead-mining, quarrying, fishing, agriculture and seasonal coastal workers.

The photographs have been chosen from the collections in the county's record office and libraries and from private collections, whose owners have kindly made them available to a wider public. They are an important source, as much a part of our heritage as our castles and ancient sites. Anyone wishing to contribute to the collection should contact the County Archivist who will be very happy to arrange for them to be added to the archive.

This compilation is not exhaustive and there will be some communities not represented, but I hope it gives an enjoyable impression of our county in the past and provides residents and visitors with a taste of the riches which further acquaintance will confirm.

W. Rhys Webb

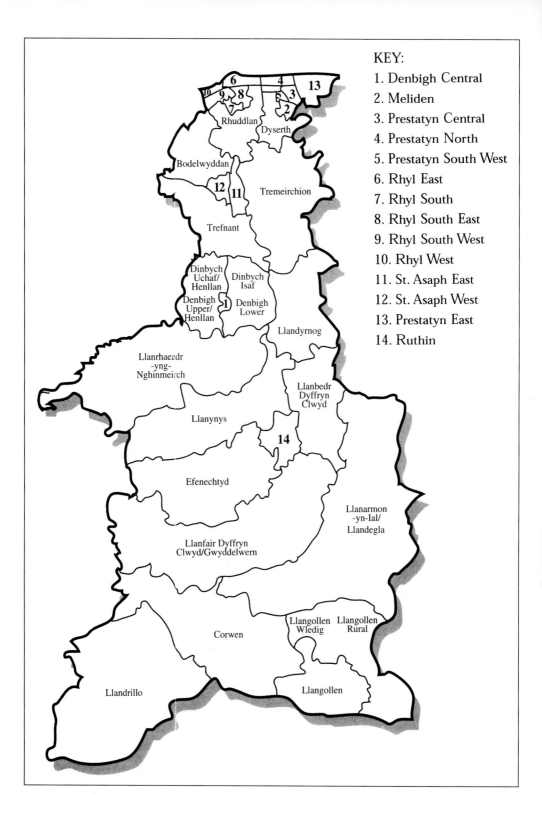

KEY:
1. Denbigh Central
2. Meliden
3. Prestatyn Central
4. Prestatyn North
5. Prestatyn South West
6. Rhyl East
7. Rhyl South
8. Rhyl South East
9. Rhyl South West
10. Rhyl West
11. St. Asaph East
12. St. Asaph West
13. Prestatyn East
14. Ruthin

Rhan Un/Section One
Lleoedd
Places

Yr afon Clwyd yn Rhuddlan, tua 1900. Tu draw i'r bont gyda'i ddau fwa anghyfartal, sy'n dyddio'n rhannol o 1595, saif y castell, wedi'i orchuddio gan eiddew pryd hynny. Fe'i dechreuwyd ym 1277 gan Edward I; ym 1284 cyhoeddodd Statud Rhuddlan gan greu'r cyntaf o siroedd Cymru.

The river Clwyd at Rhuddlan, c. 1900. Beyond the bridge with its two unequal spans, which dates partly from 1595, lies the castle, at this time shrouded by ivy. It was begun by Edward I in 1277; in 1284 he issued the Statute of Rhuddlan by which he created the first of the Welsh counties.

Y Grand Pavilion a'r pier, Y Rhyl, 1891, a ffotograffwyd yn fuan ar ôl ei gwblhau. Wedi ei adeiladu gan y cwmni a ffurfiwyd i godi'r pier, roedd bywyd y pafilwn hwn yn un byr gan iddo losgi i lawr ar 14 Medi 1901. Yn wreiddiol, bwriadwyd codi datblygiad o adeiladau llai ar y safle yn ei le, yn eithaf tebyg, ar un wedd, i'r pentre plant presennol.

The Grand Pavilion and pier, Rhyl, 1891, photographed shortly after its completion. Built by the company formed to construct the pier, this pavilion's life was short as it burned down on 14 September 1901. It was originally intended to be replaced by a development of smaller buildings similar, in a way, to the present children's village.

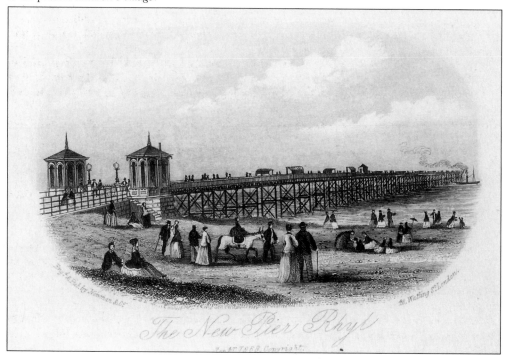

Traeth Y Rhyl, tua 1900. Golygfa i'r gorllewin tuag at harbwr y Foryd. Yn dref glan mor llwyddiannus erbyn y cyfnod hwn, canrif yn gynharach roedd dim ond yn aneddiad bychan yn hen blwyf Rhuddlan. Roedd codi morglawdd i rwystro llifogydd dros y tir cors lle safai yn holl-bwysig yn ei ddatblygiad cynnar. Roedd dyfodiad y rheilffordd o Gaer i Gaergybi ym 1848 yn allweddol hefyd, yn ogystal â phenodi Comisiynwyr Gwella Y Rhyl ym 1852 i fod yn gyfrifol am lywodraeth leol. Erbyn mor gynnar â 1873 roedd eisoes dros dri chant o dai llety ar gyfer ymwelwyr. Yma gwelir ymwelwyr haf oes Victoria yn mynd am dro ar y traeth tra bod peiriannau ymdrochi yn cael eu tynnu allan i ymyl y dŵr.

A view of Rhyl sands looking west towards Foryd harbour, c. 1900. A popular resort already by this time, a century earlier Rhyl had been a small settlement in the old parish of Rhuddlan. The building of an embankment, to prevent the marshy land on which it stood flooding, was crucial in its early development. The coming of the Chester-Holyhead railway in 1848 was also very important, as was the appointment of the Rhyl Improvement Commissioners to be responsible for local government. By as early as 1873 there were already over three hundred lodging-houses for visitors. Here, Victorian holidaymakers stroll along the beach, whilst bathing-machines are drawn up to the water's edge.

Gyferbyn: Print o 'Pier Newydd', Y Rhyl, 1869. Fe'i hadeiladwyd prin ddwy flynedd ynghynt. Dioddefodd nifer o ddamweiniau cyn ei ddymchwel ym mis Mawrth 1973, gan gynnwys ei daro gan long ym 1883 a'r pafiliwn cyntaf yn mynd ar dân. Fe'i caewyd i'r cyhoedd ym 1966, ei hyd gweiddiol o 2, 355 o droedfeddi wedi ei gwtogi i 330.

Opposite: A print of the 'New Pier', Rhyl, 1869. This had been built only two years before. It suffered a number of accidents before its demolition in March 1973, including a ship collision in 1883 and the burning of the first pavilion. It was closed to the public in 1966, its original length of 2,355 feet reduced to 330.

11

Y Grand Pavilion a'r cyffiniau, Y Rhyl, canol y 1890au. Heblaw am olygfa dda o'r pafiliwn a'r Bijou Theatre ar y pier, gellir gweld gorsaf gwylwyr y glannau ar y dde eithaf, y ffynnon goffa a'r tiwbiau hir sy'n gysylltiedig â maes saethu yn y canol.

The Grand Pavilion and surroundings, Rhyl mid-1890s. Apart from an excellent view of the pavilion and Bijou Theatre on the pier, one can see the coastguard station on the extreme right, the memorial fountain, and the long tubular structures associated with a shooting-range in the centre.

Atgyweirio'r pier, a gwympodd ar ôl stormydd ar 29 Rhagfyr 1909. Fe'i caewyd am gyfnod hir arall y Rhyfel Byd Cyntaf.

Repairing the pier, which collapsed after storms on 29 December 1909. It was closed for another long period after the First World War.

Adeiladodd Comisiynwyr Gwelliant Y Rhyl Neuadd y Dref ym 1876. Fe'i dangosir yma tua 1910. Anrheg P. Ellis Eyton AS dros Fwrdeisdrefi'r Fflint yw'r tŵr , y cloc a'r gloch. Cafwyd lle yn yr estyniad diweddarach ym 1907 ar gyfer llyfrgell a adeiladwyd ac a chyfarparwyd gydag anrheg o £3,000 oddi wrth y noddwr Andrew Carnegie. Isod, y seremoni i osod y carreg sylfaen i'r llyfrgell

The Rhyl Improvement Commissioners built the Town Hall in 1876. It is shown here c. 1910. P. Ellis Eyton, MP for Flint Boroughs, presented the town with the tower, clock and bell. A later extension in 1907 provided room for a library, built and equipped from a gift of £3,000 from benefactor, Andrew Carnegie. Below, the ceremony to lay the foundation stone of the library.

Ffoulkes's Restaurant, Y Rhyl, tua 1900. Mae'r tŷ tafarn a bwyty hwn oedd yn y Stryd Fawr yn un o westai coll y dref, yn rhan o Westy'r Crown, oedd yn cynnwys y busnes drws nesaf, y Manchester Arms, fe'i gaewyd ym 1967. Safai gyferbyn â sinema y Plaza.

Ffoulkes's Restaurant, Rhyl, c. 1900. This High Street public house and restaurant is one of the town's lost hostelries, part of the Crown Hotel, which incorporated the next-door premises, the Manchester Arms; it closed in 1967. It stood opposite the Plaza cinema.

Lolfa'r Queen's Palace Hotel, Rhodfa Ganol, Y Rhyl, tua 1905. Fe'i agorwyd ar 1 Awst 1902, ac ymfalchiai mewn theatr ac ystafell ddawnsio gydag arcêd ddifyrion a siopau yn y cefn. Ar y llawr isaf roedd llyn yn null Fenis lle cai ymwelwyr brynu tocyn am daith ar gondola am geiniog. Ar ben yr adeilad roedd sw ac oriel mewn cromen wydr. Difrodwyd ef yn ddifrifol gan dân ar 27 Tachwedd 1907.

The Lounge, Queen's Palace Hotel, Central Parade, Rhyl, c. 1905. It opened on 1 August 1902, boasted a theatre, ballroom and an amusement and shopping arcade to the rear. At ground level was a Venetian-style lake where visitors could take a trip on a gondola for 1d. At the top of the building were a zoo and a glass viewing dome. It was badly damaged by fire on 27 November 1907.

14

Y Rhyl, ar fore gwlyb 1 Gorffennaf 1960. Gwelir traffig yn sefyll ar bont y rheilffordd ac i fyny'r Stryd Fawr at y twr cloc ar y rhodfa yn y pellter. Ym 1948 cymerodd y cloc le y ffynnon goffa i deulu Conwy a godwyd ym 1862.

Rhyl on a wet morning, 1 July 1960. Traffic is shown queuing over the railway bridge and along the High Street, to the clock tower on the promenade in the distance. The clock replaced the 1862 Conwy family memorial fountain in 1948.

Golygfa nodweddiadol o'r 'Hafan Deg', yng nghanol y 1960au. Golwg ar y traeth i gyfeiriad y dwyrain a'r pier byrrach. Roedd y dref glan môr erbyn hyn yn darparu ar gyfer dros ddeg mil o ymwelwyr yn ystod tymor yr haf. Dyma hoff gyrchfan ysgolion Sul ledled gogledd Cymru ar gyfer eu gwibdeithiau haf.

A typical 'Sunny Rhyl' scene, mid-1960s, looking in an easterly direction towards the then truncated pier. The resort was at this time catering for over ten thousand visitors in the summer season. It was the favoured destination for Sunday school trips throughout north Wales.

Ty'r Senedd, Rhuddlan, tua 1920. Er yn adeilad o ddiddordeb pensaerniol gydag elfennau o'r drydedd a'r bedwaredd ganrif ar ddeg, mae'n debyg wedi eu bachu o'r castell cyfagos, nid oes sail i'r traddodiad bod Edward I wedi cynnal senedd yma.

Parliament House, Rhuddlan, c. 1920. Although an architecturally interesting building, with features from the thirteenth and fourteenth century probably taken from the nearby castle, the tradition that Edward I held a parliament here has no foundation.

Ffordd Y Rhyl, Rhuddlan, tua 1950. Band Boys' Brigade Y Rhyl sy'n arwain gorymdaith Rose Day i'r pentref o faes chwarae'r Admiral i'r castell lle coronid frenhines y rhosod. Roedd yr Admiral y cyfeirir ato yn yr enw yn aelod o deulu Rowley-Conwy o stâd Bodrhyddan gerllaw.

Rhyl Road, Rhuddlan, c. 1950. Rhyl Boys' Brigade Band is leading the Rhuddlan 'Rose Day' procession into the village from the Admiral's Playing Fields in the direction of the castle, where the rose queen was crowned. The Admiral referred to in the name was a member of the Rowley-Conwy family whose Bodrhyddan estate is nearby.

47094. PRESTATYN FROM PROMENADE.

Mae'r cerdyn post hwn, dyddiedig 1922 yn dangos Bastion Road yn arwain i'r rhodfa, a Ffordd y Traeth Dwyreiniol ar y chwith. Mae'r clwstwr o bobl yn y pellter canol yn disgyn oddi wrth, neu yn aros am y cerbydau neu ceir a cheffylau oedd yn gweithio rhwng y traeth a'r dref. Roedd y gwasanaeth yn rhedeg o ganol y bore tan ddeg y nos gan barhau hyd at ddechrau'r Ail Ryfel Byd ym 1939.

This postcard, dated 1922, shows Bastion Road leading to the promenade, with Beach Road East to the left. The huddle of people in the middle distance are alighting from, or waiting for, the governess carriages and ponies and traps which plied between the beach and the town. These worked from mid-morning to ten at night and the service only ceased with the advent of war in 1939.

Traeth Prestatyn, tua 1920, wedi ei dynnu o ger safle canolfan y Nova presennol lle safai cytiau glan môr a chyn hynny peiriannau nofio. Ger y pafiliwn codwyd ffynnon yfed ym 1899 i goffáu cyfraniad Henry Davies Pochin i'r dref. Mae'n sefyll y tu allan i'r Ficerdy yn y Stryd Fawr yn awr.

Prestatyn sands, c. 1920, taken from near the site of the present Nova centre where previously beach huts and, before them, bathing-machines stood. Near to the pavilion, a drinking fountain was erected in 1899 to commemorate the contribution to the town of Henry Davies Pochin. It now stands outside the Vicarage in the High Street.

Ffordd Gronant, Prestatyn, tua 1930. Ffordd Gronant oedd y brif ffordd i'r Rhyl hyd nes agorwyd ffordd yr arfordir ym 1924. Mae Eglwys Fethodistaidd y Drindod, a godwyd ym 1925, yn dal i sefyll ond mae'r adeiladau agosaf at y ffotograffydd wedi ildio'u lle i orsaf betrol.

Gronant Road, Prestatyn, c. 1930. Gronant Road had been the main route to Rhyl until the coast road was opened in 1924. Trinity Methodist Church, erected in 1925, still stands but the property nearest the photographer has made way for a filling-station.

Golygfa i fyny Stryd Fawr Prestatyn yn y 1930au. Mae union ddyddiad y cerdyn post yn anhysbus, ond fe gofrestrwyd y car modur Riley Salwn 9 marchnerth, (rhif UN5884) ar y chwith am y tro cyntaf gan Adran Trethu Moduron Sir Ddinbych ar 31 Hydref 1932.

A view up Prestatyn High Street in the 1930s. The precise date of this postcard is not known, but the Riley Saloon 9 horsepower motor-car (registration number UN 5884) on the left, was first registered by Denbighshire Motor Taxation Department on 31 October 1932.

Llwybr mynydd yn arwain i chwarel carreg galch Manor Hill, Prestatyn tua 1922. Parhaodd gwaith cloddio yn ysbeidiol am ganrif o ganol y ganrif ddiwethaf gan beidio dim ond yn gymharol ddiweddar. Mae'r cerdyn post hwn yn dangos gweddillion odyn galch (un o bedwar) yn y pellter canol ym mhen gogleddol y chwarel.

The mountain path leading to Manor Hill limestone quarry, Prestatyn c. 1922. Quarrying continued intermittently for a hundred years from the middle of the last century and ceased only comparatively recently. This postcard shows the remains of a lime-kiln (one of four) in the middle distance at the north end of the quarry.

Ffordd Penrhwyfa, Galltmelyd, tua 1920. Mae adeiladau amaethyddol a diwydiannol yn gymdogion yma. Gwelir simne a pheiriandy'r mwynglawdd plwm yn y pellter, yr hen ysgol (adeiladwyd 1842) ar y dde a ffermdy Top Pentre agosaf at y ffotograffydd.

Ffordd Penrhwyfa, Meliden, c. 1920. Agricultural and industrial buildings are neighbours here. One can see the chimney and engine-house of a lead mine in the distance, the old school (built 1842) on the right, and Top Pentre farmhouse nearest the photographer.

Cerrig beddi, mynwent eglwys Dyserth, tua 1901. Gelwid y beddfaeni a ffotograffwyd yma yn feddrodau tywysogion Cymru. Mewn gwirionedd, grwp o feddfeini ar ffurf cistiau a byrddau ydynt gyda'r ddau a ddarlunir yma yn meddu capan. Maent yn dyddio o'r unfed ganrif ar bymtheg ac mae gan un ohonynt angel ar yr ochr isaf. Roedd gan Dyserth groes yn dyddio o'r deuddegfed neu'r drydedd ganrif ar ddeg yn y fynwent, ond fe'i symudwyd i mewn i'r eglwys erbyn hyn.

Tombstones, Dyserth churchyard, c. 1910. The tombs photographed here were known as the tombs of the Welsh princes. However, they are in reality a group of tomb-chests and table tombs, two of which have hoods as pictured. They date from the seventeenth century and one of them has an angel on the underside. Dyserth once had a cross in the churchyard dating from the twelfth or thirteenth century, but this can now be found inside the church.

Olwyn ddŵr melinau Marian, ger Dyserth, tua 1920. Rhoddid y pŵer i droi'r olwyn gan Ffynnon Asaph oedd yn gyfrifol am gyflenwi dŵr i bentrefi Prestatyn a Galltmelyd yn y ganrif ddiwethaf, ac a redai i fewn i afon Ffyddion cyn disgyn dros bistyll Dyserth. Roedd yn le poblogaidd i fynd am dro neu bicnic.

Water-wheel at Marian mills, near Dyserth, c. 1920. Ffynnon Asaph, a spring which supplied water to the villages of Prestatyn and Meliden in the last century, turned the wheel before uniting with the river Ffyddion to cascade over Dyserth waterfall. This was a popular place for a walk or a picnic.

YSERTH VILLAGE.

Pentref Dyserth, tua 1910. Golygfa i lawr i Dyserth Isa gyda mynwent yr eglwys yn y pellter canol. Denir ymwelwyr i'r pentref oherwydd y rhaeadr, gyda thocynnau dwyffordd rhad o'r Rhyl yn annogaeth ychwanegol gynt. Yn gymuned bron yn gwbl wledig yn amser y ffotograff, roedd yn bwysig am ei chwareli carreg a chalchfaen, gyda pheth o'r cynnyrch yn mynd i atgyweirio castell Caernarfon cyn arwisgiad Tywysog Cymru ym 1911. Roedd mwyngloddio plwm yn nodwedd o waith yr ardal a gellir gweld peiriandy dros y toeau ar ochr chwith y darlun.

Dyserth village, c. 1910. A view looking down to Lower Dyserth with the churchyard in the middle distance. Visitors are drawn to the village because of the waterfall, with cheap return bus fares from Rhyl formerly an added incentive. An almost completely rural community at the time of the photograph, it was important for its stone and limestone quarries, with some being used for repairs to Caernarfon castle before the 1911 investiture of the Prince of Wales. Lead-mining was also important in the area and an engine-house can be seen over the rooftops on the left of the photograph.

To the Right Reverend Father in GOD
ISAAC Lord Bishop of St Asaph
This Prospect is humbly Inscrib'd by
his Lordships most Obedient & Dutiful Servants
Sam & Nath Buck

THIS Cathedral Church is situated in the Vale of Elwy d near where the it self into that River whence it anciently took the Name of Llan Elwy, which changed for that of its Patron St Asaph This Episcopal See was founded about the sooner by Kentegern Bp. of Glascow in Scotland who became the first Bp. but aft his Return into Scotland, resign'd this See to his Disciple Asaph from whom it its Name. This Church is built in the form of a Cross, over which a plain Towe the height of 93 feet standing on 4 Pillars & the Length of the whole Church 182 fe was burnt ab. A.D. 1402 by Owen Glendower but afterwards re-edified by Bp. Rich Redns of K. Edw III and K. Henry VII Bp. David Owen & Bp. Henry Standish und
Sam & Nath Buck del. et sculp. Published according to Act of Parliament April 5 1742.

Print o eglwys gadeiriol Llanelwy gan S. ac N. Buck, 1742. Sefydlwyd esgobaeth Llanelwy yn y chweched ganrif. Adeiladwyd y gadeirlan bresennol rhwng 1284 a 1381. Gyda hyd o 182 o droedfeddi, hi yw'r eglwys gadeiriol leiaf yng Nghymru a Lloegr.

Print of St Asaph Cathedral by S. and N. Buck, 1742. Although the episcopal see of St Asaph was founded in the sixth century, the present cathedral was built between 1284 and 1381. At 182 feet in length, it is the smallest cathedral in England and Wales.

Mae gan y ffotograff cynnar hwn o Lanelwy, tua 1860, y bont dros yr afon Elwy a godwyd ym 1770 gan Joseph Turner, pensaer o Gaer, yn y blaen gyda'r dref, wedi ei choroni â'r eglwys gadeiriol, yn codi yn y cefndir uwch ei phen.

This early photograph of St Asaph, c. 1860, has the bridge over the river Elwy, built in 1770 by Joseph Turner, architect of Chester, in the foreground, with the town, crowned by the cathedral, rising above it in the background.

Eglwys Gadeiriol Llanelwy, yr olygfa o Bryn Siriol wrth y bont, 1920. Adeiladwyd tŵr yr eglwys gadeiriol yn wreiddiol ym 1391-2 ond bu rhaid ail godi'r pen uchaf ar ôl ei ddifrodi mewn storm ym 1715.

St Asaph Cathedral, a view of the building from Bryn Siriol, near the bridge, 1920. The cathedral tower was originally built in 1391-2, but the upper part had to be rebuilt after storm damage in 1715.

Y bont dros yr afon Chwiler yn Ffordd Geiras, Waen, pentref bach yn nhrefgordd Aberchwiler ym mhlwyf Bodffari, tua 1909. Roedd y felin ŷd yn gorwedd ar yr hen ffin sirol a rannai'r plwyf.

The bridge over the river Wheeler in Geiras Road, Waen, a hamlet in Aberchwiler township, Bodfari parish, c. 1909. The corn mill was sited on the former county boundary which divided the parish.

Tafarn y Cross Foxes, Henllan, tua 1920.
The Cross Foxes public house, Henllan, c. 1920.

Golygfa gyffredinol o bentref Henllan, tua 1900. Mae eglwys Sant Sadwrn yn y pellter canol gyda'i thŵr ar wahân anarferol a adeiladwyd ar garreg frig ym mhen ucha'r fynwent serth.
A general view of Henllan village, c. 1900. The church of St Sadwrn is in the middle distance, with its unusual detached tower, built on an outcrop of rock at the top of the steep churchyard.

Lleweni, tua 1920. Dymchwelwyd plasdy Lleweni, cartref teulu nodedig y Salsbriaid, ger Dinbych ym 1816-18, gan adael adeiladau y gweision a'r stablau. Ym 1928 dinistrwyd mwy ac fe roddwyd to newydd ar y stablau, gan golli'r cupola trawiadol a welir yma.

Lleweni, c. 1920. Lleweni Hall, home of the distinguished Salisbury family, near Denbigh was demolished in 1816-18, leaving the extensive service quarters and stable block. In 1928 further demolition occurred, and the stables were re-roofed, losing the impressive cupola seen here.

Stryd Fawr Dinbych, tua 1900. Adeiladwyd Neuadd y Sir s'yn gwynebu'r camera ym 1572, a'i ail-lunio yn niwedd y ddeunawfed ganif. Roedd ynadon yn cynnal cyfarfodydd o'r Llys Chwarter ar y llawr cyntaf tra bod stondinau marchnatwyr ar y llawr isaf. Mae heddiw yn lyfrgell sirol, amgueddfa a chanolfan celfyddydol.

Denbigh High Street, c. 1900. The County Hall, facing the camera, was built in 1572 and remodelled in the late eighteenth century. Magistrates held courts of Quarter Session on the first floor and the ground floor contained market stalls. It is now a county library, museum and arts centre.

Tref Dinbych o Lôn Llywelyn, tua 1895, gyda'r castell yn arglwyddiaethu ar gopa'r bryn ac yn dangos sut y tyfodd y dref o'i gwmpas. Ar ôl gorchfygiad Dafydd ap Gruffydd rhoddwyd ei bencadlys i Henry de Lacy gan Edward I a dechrewyd adeiladu'r castell a muriau'r dref. Mae llawer o'r muriau wedi goroesi, gan am gyfnod amharu ar ddatblygiad y dref, nes iddi ddechrau lledaenu, yn gyntaf i'r strydoedd o gwmpas y Stryd Fawr, ac yna i'r ardal ar waelod yr allt.

Denbigh town from Lôn Llywelyn, c. 1895, with the castle dominating the crown of the hill, and showing how the town had grown up around it. After the defeat of Dafydd ap Gruffydd, his stronghold was granted by Edward I to Henry de Lacy and building of the castle and town walls began. Much of the wall remains, and for a time limited the development of the town, before this gradually spread out, first on to the streets around High Street, then into the area at the bottom of the hill.

Gyferbyn: Pwll y Grawys, Dinbych, tua 1880. Saif Eglwys Santes Fair, adeiladwyd ym 1875, yn y cefndir. Erbyn diwedd y bedwaredd ganrif ar bymtheg roedd Pwll y Grawys wedi datblygu'n ganolbwynt ar gyfer y rhan poblog hwn o Ddinbych, oedd yn cynnwys eglwys yn ogystal ag ysgol a adeiladwyd ym 1846 sydd bellach wedi ei droi'n fflatiau.

Opposite: Lenten Pool, Denbigh, c. 1880. St Mary's church, built in 1875, stands in the background. By the late nineteenth century Lenten Pool had become the focal point of this populous part of Denbigh, containing both a church and a school, built in 1846, which has now been converted into flats.

26

Y Stryd Fawr, Dinbych yn edrych i gyfeiriad ffynnon y dref a gyflenwodd ddŵr i'r tai hynny heb gyflenwad preifat, tua 1880. Cynhelid marchnadoedd yn y stryd lydan pob dydd Mercher.
Denbigh High Street, c. 1880, looking up towards the town pump, which provided water for those houses without a private supply. Markets were held in this wide street every Wednesday.

Heol y Dyffryn, Dinbych, tua 1900. Yn wreiddiol, roedd yr adeiladau yn y stryd hon, a elwid yn Stryd Isa yn flaenorol, naill ai yn swyddfeydd neu'n gartrefi dynion proffesiynol neu'n dai tref ar gyfer y boneddigion lleol.

Vale Street, Denbigh, c. 1900. Originally called Lower Street, formerly most of the buildings were either the offices and houses of professional men, or town houses of local gentry.

Bwthyn yn Stryd Henllan, Dinbych gyda'r crafwr esgidiau y tu allan i'r drws yn arwydd o gyflwr lleidiog y strydoedd, tua 1910. Dioddefodd Stryd Henllan a'r cyffiniau yn gyffredinol yn ddifrifol yn haint trychinebus y colera ym 1840.

Cottage in Henllan Street, Denbigh, with the boot-scraper outside the door indicative of the muddy state of the streets, c. 1910. Henllan Street, and this area of Denbigh in general, suffered terribly in the tragic cholera outbreak of 1840.

Ysbyty Gogledd Cymru, Dinbych a adeiladwyd ym 1848 fel gwallgofdy i gleifion ag afiechydon y meddwl o chwech sir Gogledd Cymru. Mae i'w weld yma o dan eira, tua 1910. Fe'i caewyd ym 1995 ar ôl bod yn gyflogwr mwyaf yr ardal.
North Wales Hospital, Denbigh, built in 1848 as an asylum for mentally ill patients from all six north Wales counties. It is seen here in snowy weather, c. 1910. It closed in 1995 having once been the area's biggest employer.

Salusbury Place, Heol y Dyffryn, Dinbych, hen gartref Dr Evan Pierce yn y bedwaredd ganrif ar bymtheg. Dechreuodd y tŷ syrthio'n adfeilion yn y 1930au ac fe'i dymchwelwyd ym 1953. Mae enw da Evan Pierce yn yr ardal yn seiliedig ar ei waith yn ystod haint y colera. Agorodd sanatoriwm yn ddiweddarach.
Salusbury Place, Vale Street, Denbigh. This had been the home of Dr Evan Pierce in the nineteenth century. It fell into disuse in the 1930s and was demolished in 1953. Evan Pierce's reputation in the area is based on his work in the cholera epidemic. He later opened a sanatorium.

Pentref Llanrhaeadr (rhwng Rhuthun a Dinbych), 1930, â thafarn y King's Head, o'r unfed ganrif ar bymtheg mewn golwg. Mae'r eglwys (sydd wedi ei guddio yn y coed ar y dde) yn adnabyddus oherwydd ei ffenestr Jesse a wnaethpwyd o'r gwydr lliw mwyaf hardd yn yr ardal, sy'n dyddio o'r unfed ganrif ar bymtheg. Fe'i adferwyd yn llwyr yn ddiweddar.

Llanrhaeadr village (between Ruthin and Denbigh), 1930, showing the King's Head, a sixteenth-century inn. The church, hidden in the trees on the right, is known for its Jesse window which is of the finest stained glass in the area and dates from the sixteenth century. It has recently been fully restored.

Aelodau o deuluoedd Jones, Davies a Roberts y tu allan i dafarn a siop groser pentref Hendrerwydd, tua 1910. Mae Hendrerwydd yn bentref bach ym mhlwyf Llangynhafal, tair milltir i'r gogledd o Ruthun.

Members of the Jones, Davies and Roberts families outside the village inn and grocery shop, Hendrerwydd, c. 1910. Hendrerwydd is a small hamlet in the parish of Llangynhafal, three miles north of Ruthin.

Plas Llanrhaeadr, tua 1890. Newidwyd ac ychwanegwyd at y plasdy gwreiddiol sydd yn dyddio, mae'n debyg, o'r unfed ganrif ar bymtheg, yn y 1770au. Yna, yn 1841-2 fe'i ail-luniwyd yn y modd Jacobeaidd gyda'r wyneb, a welir yma, ar siap E a ychwanegwyd at y ffasâd o'r ddeunawfed ganrif a welir ar dde y llun.
Llanrhaeadr Hall, c. 1890. The original hall, which probably dates from the sixteenth century, was altered and enlarged in the 1770s. It was then remodelled in 1841-2 in Jacobean style and given an E-plan front, which can be seen here, joined on to an eighteenth-century façade on the right of the photograph.

Golwg cyffredinol o bentref Llanferres, tua 1900 yn cynnwys eglwys Sant Berres a ail adeiladwyd ym 1772, a thafarn y Druid gerllaw. Byddai llawer o ddynion y pentref wedi gweithio yn y mwynfeydd plwm cyfagos.
General view of the village of Llanferres, c. 1900, including the church of St Berres, which had been rebuilt in 1772, and the Druid Inn nearby. Many of the men of the village would have worked in the nearby lead mines.

Tafarn y Gelyn ar y ffordd rhwng Rhuthun a'r Wyddgrug, tua 1905. Pentref bach ym mhlwyf Llanferres gyda chapel bychan a adeiladwyd ym 1866. Mae'r dafarn yn enw'r lle wedi mynd ac mae ail elfen yr enw yn cyfeirio nid at y ddiod felltigedig ond at goeden celyn.

Tafarn y Gelyn on the Ruthin-Mold road c. 1905. This is a hamlet in the parish of Llanferres, with a small chapel, built in 1866. The tavern of the place name has now gone; the second element of the name means a holly tree.

Ffotograff prin, cynnar o'r Tŵr Jiwbili a dynnwyd ym 1861. Mae adfeilion heddiw yn anodd i'w adnabod fel gweddillion adeilad yn y steil Eifftaidd a godwyd ym 1810 i ddathlu jiwbili aur teyrnasiad Sior III.

A very early photograph of the Jubilee Tower, taken in 1861. Today's ruins are almost unrecognisable as the remains of this formal, neo-Egyptian-style building, erected in 1810 to commemorate the golden jubilee of the reign of George III.

Gweddillion tŵr jiwbili ar Moel Fammau a'i gam-elwir yma'n gastell, tua 1900. Ar ôl i ben y tŵr syrthio ar ôl storm ym 1862 cwympodd cefn yr adeilad yn adfeilion gan adael dim ond y ffasâd blaen.. Gwnaethpwyd ymgais i godi arian er mwyn adfer y gofeb ar achlysur priodas Tywysog Cymru a Thywysoges Alexandra o Denmark ym 1863, ac fe'i awgrymwyd eto ym mlwyddyn jiwbili aur y Frenhines Victoria, 1887, ond daeth dim o'r un cynllun. Bu rhaid aros hyd 1970 i gryfhau ac i wneud y sylfaeni'n ddiogel.

Remains of the Jubilee Tower on Moel Fammau, erroneously called 'the castle' on this photograph of 1900. After the top of the tower had been destroyed by a storm in 1862 the back of the building collapsed into rubble, leaving only the bottom front façade. An attempt was made to raise funds to restore the monument on the occasion of the marriage of the Prince of Wales and Princess Alexandra of Denmark in 1863, and it was again suggested in the year of Queen Victoria's Golden Jubilee, 1887, but nothing came of either scheme. It was not until 1970 that the base of the tower was consolidated and made safe.

Y ffin rhwng Sir Ddinbych a Sir y Fflint yn edrych tuag at Loggerheads gyda phorthordy Colomendy yn y canol, tua 1900. Codwyd y gofeb ar y dde uwchben hen garregffin ym 1763 i nodi'r penderfyniad yn y Trysorlys o blaid Arglwyddi'r Wyddgrug oedd wedi herio teulu Grosvenor ynglyn ag union leoliad y ffin.

The boundary of Flintshire and Denbighshire, looking towards Loggerheads, with Colomendy Lodge in the centre, c. 1900. The monument on the right was erected in 1763 over an old boundary-stone, to commemorate the judgement by the Court of Exchequer in favour of the Lords of Mold, who had disputed the exact position of the boundary with the Grosvenor family.

Ty hir unllawr nodweddiadol Gymreig ym Maeshafn, ym mhlwyf Llanferres gyda tho gwellt a dwy wraig mewn brethyn traddodiadol Cymreig a ffedogau gwyn y tu allan, tua 1890.

A typical single-storey Welsh long-house in Maeshafn, in the parish of Llanferres, with thatched roof and two ladies in traditional Welsh plaid and white aprons outside, c. 1890.

Golygfa gyffredinol o Faeshafn, 1922. Roedd Maeshafn yn ardal o fwynfeydd plwm pwysig iawn yn hwyr yn y bedwaredd ganrif ar bymtheg pryd amcangyfrifiwyd bod y mwynfeydd yn y cyffiniau wedi cynhyrchu mwyn gwerth £4,000,000.

General view of Maeshafn, 1922. Maeshafn was an important lead-mining area in the late nineteenth century, when it was estimated that the mines in the area had produced ore to the value of £4,000,000.

Ffotograff cynnar o Stryd y Ffynnon Uchaf, Rhuthun, a dynnwyd tua 1875 gan John Thomas (1835-1905) o Oriel Cambria, Lerpwl. Perchnogion gwreiddiol y Wynnstay Arms, a adnabuwyd gynt fel tafarn y Cross Foxes, oedd teulu Williams-Wynn o Wynnstay, Rhiwabon. Adeiladwyd Ffordd Wynnstay tua 1883 i gysylltu Stryd y Ffynnon â Stryt y Farchnad.

An early photograph of Upper Well Street, Ruthin, taken c. 1875 by John Thomas (1835-1905) of the Cambrian Gallery, Liverpool. The Wynnstay Arms, previously known as the Cross Foxes Inn, originally belonged to the Williams-Wynn family of Wynnstay, Ruabon. Wynnstay Road was built c. 1883 to link Well Street and Market Street.

Rhan o ochr ddwyreiniol Sgwâr Sant Pedr, Rhuthun a ffotograffwyd gan John Thomas, mae'n debyg ar achlysur yr Eisteddfod Genedlaethol yn Rhuthun, 1868. Atgyweirwyd siop y groser tua 1883, fel y gwelir ar yr adeilad presennol, 'Vanity Fayre'. Mae'r saith ffenestr dormer yn y dull Isalmaeneg yn nho'r adeilad, yn arwedd nodweddiadol a elwid ar un tro yn llygaid Rhuthun. Yr oedd ar un adeg yn rhan o Westy'r Castell ond mae unwaith eto yn dafarn ar wahân, yn dwyn yr enw Myddleton Arms, ar ôl perchnogion stâd Castell Rhuthun.

Part of the eastern side of St Peter's Square, Ruthin, photographed by John Thomas, possibly at the time of the Ruthin National Eisteddfod in 1868. The grocer's shop was renovated in 1883 as can be seen on the present building, 'Vanity Fayre'. The seven dormer-windows in the Dutch style in the roof of the building, are a distinctive feature, once called the eyes of Ruthin. The building was at one time part of the Castle Hotel, but is now again a separate inn called the Myddleton Arms, after the family which once owned the Ruthin Castle estate.

Hen Neuadd y Dref, Sgwâr Sant Pedr, Rhuthun tua 1860. Cynhelid cyfarfodydd ar y llawr uchaf, ac 'roedd masnachwyr yn gosod eu stondinau ar y llawr isaf. Roedd yr adeilad yn nodwedd o'r sgwâr o tua 1663 i 1863, hyd nes y'i chwalwyd ac adeiladwyd y neuadd presennol yn Stryd y Farchnad. Yn y cyfnod hyn adwaenir Gwesty'r Castell ar y dde fel Tafarn y Llew Gwyn.
The Old Town Hall, St Peter's Square, Ruthin, c. 1860. Meetings were held in the upper storey and traders' stalls were set up underneath. The building was a feature of the square from 1663 to 1863, when it was demolished and replaced by the present town hall in Market Street. At that time, the Castle Hotel on the right was known as the White Lion Inn.

Tan-y-Castell, Rhuthun tua 1890. Rhedwyd y busnes bach hwn o'r tŷ sydd dal i sefyll rhwng tafarn y Star, Heol Clwyd a Heol y Felin a arferai arwain at felin y dref.
Tan-y-Castell, Ruthin, c. 1890. This little business ran from a house which still stands between the Star Inn, Clwyd Street and Mill Street which used to lead to the town mill.

Y Fynedfa i Gastell Rhuthun, tua 1860. Adeiladwyd y porth gan deulu'r Myddleton-West yn gynnar yn y bedwaredd ganrif ar bymtheg. Roedd asiantau'r stad yn byw yn y tŷ drws nesaf am flynyddoedd lawer.
Entrance to Ruthin Castle, c. 1860. The arch was built by the Myddleton-West family in the early nineteenth century. The agents to the estate lived in the house next to it for many years.

Tŷ Exmewe, Rhuthun, wedi'i addurno ar gyfer ymweliad Tywysog Cymru â'r castell ym mis Mai 1899. Mae fferyllfa Theodore Rouw drws nesaf nawr yn swyddfa gwerthu tai. Fe ail-lunwyd Ty Exmewe ym 1926 ac mae nawr yn gangen o fanc Barclays.

Exmewe House, Ruthin, decorated for the visit of the Prince of Wales to the castle in May 1899. The Welsh message translates as 'Ruthin welcomes its Prince'. Theodore Rouw's chemist shop next-door is now an estate agency; Exmewe House was remodelled in 1926 and is now a branch of Barclays Bank.

Bwa gorfoddelus yn Stryd Mwrog, Rhuthun i groesawu aelod o deulu Gregson Ellis, Plas Newydd, Llanfwrog gartref o Ryfel y Boeriaid, 1902. Roedd teulu'r Ellisiaid yn dirfeddiannwyr, a fuasai nifer o drigolion Heol Mwrog yn weithwyr yn eu ffatri dŵr mwynol.

Triumphal arch in Mwrog Street, Ruthin, to welcome home a member of the Gregson Ellis family of Plas Newydd, Llanfwrog, from the Boer War, 1902. The Ellis family were landowners, and many of the residents of Mwrog Street would have worked in their mineral water factory.

39

Cyffylliog, tua 1915. Bu Cyffylliog, neu Cyfeiliog fel y'i gelwid yn ogystal yn y ganrif ddiwethaf, erioed yn bentref bach mewn ardal gwbl amaethyddol. Ym 1895 roedd ganddo swyddfa bost, eglwys, capel ar gyfer y Methodistiaid Calfinaidd ac ysgol fwrdd. Poblogaeth y plwyf ym 1901 oedd 438.

Cyffylliog, c. 1915. The parish of Cyffylliog, also known in the nineteenth century as Cyfeiliog, has always been a small village in an entirely agricultural area. In 1895 it had a post office, church, Calvinistic Methodist chapel and a board school. The population of the parish in 1901 was 438.

Bythynod to gwellt yng Nghyffylliog, tua 1900.
Thatched cottages at Cyffylliog, c. 1900.

40

Tafarndy'r White Horse, Llanfair Dyffryn Clwyd, 1868. Gwelir rhan o'r ysgol ar y chwith. Nid oes wyneb i'r ffordd ac mae stepiau'n arwain i fyny at fuarth yr ysgol o'r ffordd fawr.
The White Horse Inn, Llanfair Dyffryn Clwyd, 1868. Part of the school can be seen on the left. The road is unsurfaced, and steps lead up to the school-yard from the main road.

Llanfair Dyffryn Clwyd o gyfeiriad Ffordd Corwen, tua 1900. Mae yna siop ar y chwith a gellir gweld cip o'r elusendai a waddolwyd gan Elizabeth Owens ym 1886 ar y dde. Rhoddwyd naw o fythynod i gartrefu'r hen neu fethedig gan ffafrio eglwyswyr y plwyf.
Llanfair Dyffryn Clwyd from the Corwen Road, c. 1900. There is a shop on the left and the almshouses endowed by Elizabeth Owens in 1886 can just be seen on the right. Nine cottages were given to house the aged or infirm, with preference given to church-going residents of the parish.

Tafarn y Three Pigeons, Graigfechan, Llanfair Dyffryn Clwyd, tua 1900. Un o'r tai tafarn olaf yn yr ardal i gael offer pwmpio. Bu rhaid dod â'r cwrw i'r cwsmeriaid o'r seler mewn jwg hyd yn gymharol ddiweddar.
The Three Pigeons Inn, Graigfechan, Llanfair Dyffryn Clwyd, c. 1900. This was one of the last public houses in the area to have pumps installed: beer had to be brought to drinkers by jug from barrels in the cellar until comparatively recently.

Llanarmon-yn-Iâl, tua 1930. Roedd y plwyf yn un o brif ganolfannau'r diwydiant mwyngloddio plwm ac mae'r olion yn dal i'w gweld yn y cyffiniau. Roedd hefyd yn gyrchfan i'r porthmyn ar eu taith hir gyda'u gwartheg o ogledd Cymru i Lundain.
Llanarmon-yn-Iâl, c. 1930. The parish was one of the main centres for the lead-mining industry and its remains can still be seen in the district. It was also a centre for drovers on their long journey with their cattle from north Wales to London.

Pentref Llandegla, 1898, gyda melin y pentref a'i olwyn ddŵr dros y rhod ar y dde. Yn y cyfnod hwn roedd gan bob pentref ei felin i falu'r yd roedd y ffermwyr lleol yn tyfu. Roedd Llandegla yn un o fflachbwyntiau rhyfel y degwm ŷn y 1880au.
Llandegla village, 1898, with the village mill and its overshot mill-wheel in the foreground, on the right. At this period every village had its mill, to grind the wheat grown by local farmers. Llandegla was one of the flash-points of the tithe wars of the 1880s.

Tafarn y Crown, Llandegla, tua 1900. Edward Rogers oedd y tafarnwr pan dynnwyd y ffotograff. Saif y dafarn ar gyffordd bwysig ar y ffyrdd rhwng Caer a Chorwen a Rhuthun a Wrecsam.
The Crown Inn, Llandegla, c. 1900. Edward Rogers was the landlord when this photograph was taken. The Crown stands on an important road junction between the roads from Chester to Corwen and Wrexham to Ruthin.

43

Pentref Pwllglas, tua 1910 gyda dim ond ychydig o dai a ffordd heb wyneb. Ym 1895 fe'i disgrifiwyd fel pentref bychan gyda swyddfa bost a chapeli ar gyfer y Methodistiaid Calfinaidd ac Annibynwyr. Nid oes son am siopau eraill.

Pwllglas village c. 1910, with just a few houses and an unsurfaced road. In 1895 it was described as a small village with a post office, Calvinistic Methodist and Independent chapels. No other shops were mentioned.

Swyddfa bost Pwllglas gyda cheffyl a chert yn aros y tu allan, tua 1905. Yn ôl cyfarwyddlyfr Slater 1895, 8 y bore a 5.30 y nos yn eu tro oedd amserau dosbarthu ac anfon llythyrau.

Pwllglas post office, with a horse and trap parked outside, c. 1905. According to Slater's Commercial Directory of 1895, mail delivery and despatch times were 8 am and 5.30 pm, respectively.

Plas yn Llan, Efenechtyd, 1935. Mae Mr W.I. Jones, masnachwr coed lleol a'i wraig yn sefyll y tu allan i'r drws ffrynt. Mae'r tŷ, sy'n dyddio o ddechrau neu ganol y ddeunawfed ganrif, yn weddol uchelgeisiol i gymuned mor fychan.

Plas yn Llan, Efenechtyd, 1935. Mr W.I. Jones, a local timber-merchant and his wife are standing outside the front door. The house, built in the early or mid-nineteenth century, is quite ambitious for such a tiny community.

Hendre Bach, Pentre Llanelidan, tua 1900. Bu yn Llanelidan, plwyf amaethyddol chwe milltir o Ruthun, ffair blynyddol fel yn llawer i bentref gwledig. Byddai llawer o blwyfolion yn ddenantiaid stâd Nantclwyd teulu Naylor-Leyland, sydd dal yn berchen arni.

Hendre Bach, Pentre Llanelidan, c. 1900. Llanelidan, an agricultural parish six miles from Ruthin, had, as many rural villages did, an annual fair. Many parishioners would have been tenants of the Nantclwyd estate, owned then as now by the Naylor-Leyland family.

Plas yn Iâl, plwyf Bryneglwys mewn darlun o'r ddeunawfed ganrif. Hwn (a elwid yn Bodanwydogyn yn flaenorol) oedd cartref cangen o deulu Yale o'r bymthegfed ganrif o leiaf. Yr aelod mwyaf enwog o'r teulu yw, wrth gwrs, Elihu Yale a roddodd ei enw i'r brifysgol Americanaidd.

Plas-yn-Yale, Bryneglwys parish, from an eighteenth-century drawing. This was the home (formerly called Bodanwydogyn) of one branch of the Yale family from at least the fifteenth century. The most celebrated member of the family is, of course, Elihu Yale, after whom the American university is named.

Abaty Glyn y Groes mewn print dyddiedig 1800. Sefydlwyd yr abaty Sistersiaidd hwn o gwmpas 1202 ac fe'i diddymwyd gan Harri VIII ym 1535 erbyn pryd nid oedd ond abad a thri mynach yn byw yno. Syrthiodd i adfeilion dros y canrifoedd a dygwyd cerrig oddi yno ar gyfer adeiladau lleol. Dechreuodd atgyweiriad a chlirio yn y ganrif ddiwethaf.

Valle Crucis in a print dated 1800. This Cistercian abbey was founded c. 1202 and was dissolved by Henry VIII in 1535, by which time the only occupants were an abbot and three monks. It fell into ruin over the succeeding centuries, some of its stone being taken for local buildings. Repair and clearance work began in the nineteenth century.

Y Bont Grog, ger Llangollen, tua 1890. Codwyd y bont wreiddiol ar y safle gan Thomas Telford ym 1809 i gludo glo o ffordd yr A5 i gamlas Llangollen. Ei holynydd yw'r bont yn y ffotograff hwn. Fe'i hadeiladwyd ym 1870 ac fe'i dinistriwyd gan lifogydd ym mis Chwefror 1928.
The Chain Bridge, near Llangollen, c. 1890. The original bridge on this site was constructed by Thomas Telford in 1809 to transport coal from the A5 road to the Llangollen canal. The bridge in this photograph was its replacement, built in 1870, and destroyed by floods in February 1928.

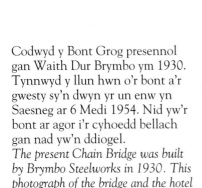

Codwyd y Bont Grog presennol gan Waith Dur Brymbo ym 1930. Tynnwyd y llun hwn o'r bont a'r gwesty sy'n dwyn yr un enw yn Saesneg ar 6 Medi 1954. Nid yw'r bont ar agor i'r cyhoedd bellach gan nad yw'n ddiogel.
The present Chain Bridge was built by Brymbo Steelworks in 1930. This photograph of the bridge and the hotel bearing the same name, was taken on 6 September 1954. The bridge is now closed to the public as it is unsafe.

Bwlch yr Oernant, Llandysilio, tua 1900. Tynnwyd rhain o gyfeiriad chwarel Llechi Oernant uwchben y bwlch, a ddechreuodd gael ei weithio'n drwyadl yn y ganrif ddiwethaf. Gwnaethpwyd ffordd dyrpeg newydd yn gynnar yn y bedwaredd ganrif ar bymtheg i hwyluso cludiant y llechi ac roedd yn dilyn cyfeiriad y ffordd bresennol.

The Horseshoe Pass, Llandysilio, c. 1900. These two views were taken from the Oernant slate quarry above the pass, which began to be worked intensively in the nineteenth century. A new turnpike road was constructed in the early nineteenth century to facilitate the transport of slate; the present road still follows this route.

Rhaeadr y bedol ar yr afon Ddyrfdwy ym Merwyn, ger Llangollen, tua 1900. Gwnaethpwyd rhain gan Thomas Telford ym 1808 i gymryd dŵr o'r afon i gamlas newydd Llangollen a oedd yn ei thro yn cyflenwi dŵr i gamlas y Shropshire Union.

The Horseshoe Falls on the river Dee at Berwyn, near Llangollen, c. 1900. These were constructed by Thomas Telford in 1808 to divert water from the river into the new Llangollen canal which in turn fed water into the Shropshire Union canal.

Pont Llangollen a Gwesty'r Royal, 1901. Mae'r bont bresennol yn dyddio o tua 1500 ond roedd yna bontydd cynharach ar yr un safle. King's Head oedd enw blaenorol y Royal ond fe'i newidwyd ar ôl i'r Dywysoges (yn diweddarach y Frenhines) Victoria aros yno ym 1832.

Llangollen Bridge and the Royal Hotel, 1901. The present bridge dates from c. 1500 but there were earlier ones on the site. The Royal was originally known as the King's Head but its name was changed after Princess (later Queen) Victoria stayed there in 1832.

49

Heol y Castell, Llangollen yn edrych tuag at y bont, tua 1925. Mae cyfarwyddlyfr o 1922 yn rhestru dros bedwar busnes ar hugain yno, yn cynnwys dwy siop hetiau, oriadurwr, argraffydd, a siop trin gwallt. Nid yw'n hen dramwyfa gan ei fod wedi ei wneud tua 1860 fel rhan o gynllun datblygu adeiladydd.

Castle Street, Llangollen, looking towards the bridge, c. 1925. A trade directory of 1922 lists over twenty-four businesses there, including two milliners, a watchmaker, a printer and a hairdresser. It is not an old thoroughfare, dating from about 1860 as part of a builder's development scheme.

Golygfa gyffredinol o dref Llangollen, 1908, gydag adfeilion Castell Dinas Brân ym mhen chwith y llun. Dyma weddillion castell Madoc ap Gruffydd a adeiladwyd yn gynnar yn y drydedd ganrif ar ddeg. Erbyn y bymthegfed ganrif roedd eisoes yn adfail gan ei fod heb gyflenwad dŵr.

General view of Llangollen town, 1908, with Dinas Brân Castle ruins at the top left of the picture. These are the remains of Madoc ap Gruffydd's castle, built in the early thirteenth century. By the fifteenth century the castle was already in ruins, having been abandoned as it lacked a water supply.

50

Roedd Camlas Llangollen yn fodd i gludo carreg a nwyddau eraill o'r ardal. Heblaw am ei dibenion defnyddiol rhoddodd gyfle i drigolion Llangollen ac ymwelwyr i fynd am dro mewn cwch neu ar hyd lwybr y gamlas, fel y gwelir yn y llun hwn dyddiedig tua 1890.

The Llangollen Canal carried stone and other goods from the area. Apart from this utilitarian purpose it also provided Llangollen's residents and visitors with the opportunity for boat rides and walks along the bridle-path, as can be seen in this photograph of c. 1890.

Copa Dinas Brân, tua 1900. Yn yr adeilad i'r chwith o adfeilion y castell a'r polyn fflag roedd camera obscura a roddodd olygfa o dref Llangollen a'r dyffryn o'i chwmpas. Roedd y 'camerau' hyn yn boblogaidd iawn yn hwyr yn y ganrif ddiwethaf.

Summit of Dinas Brân, c. 1900. The building to the left of the castle ruins and flagpole housed a camera obscura, which gave a view of Llangollen town and the surrounding vale. These revolving cameras were very popular in the late nineteenth century.

Plas Newydd, Llangollen, tua 1900. Mae'r bwthyn gwreiddiol ar y dde wedi ei orchuddio gan addurniadau derw cerfiedig a roddwyd yno yn ystod amser y 'Ledis' yn niwedd y ddeunawfed a dechrau'r ganrif ddiwethaf. Ychwanegwyd dwy asgell gan G.H. Robertson, masn achwr mewn cotwm o Lerpwl a brynodd y tŷ ym 1890. Bu rhaid tynnu'r rhain i lawr yn y 1960au oherwydd pydredd sych.

Plas Newydd, Llangollen, c. 1900. The original cottage is on the right, under the embellishments of carved oak put on during the time of 'the Ladies of Llangollen' in the late eighteenth and early nineteenth centuries. Two wings were added by G.H. Robertson, a Liverpool cotton broker, who purchased the house in 1890. These had to be demolished in the 1960s because of dry rot.

Gyferbyn: Plas Ucha, Eglwyseg, ger Llangollen, tua 1930. Mae'r tŷ yn dyddio'n bennaf o'r unfed ganrif ar bymtheg er y gellir fod rhai rhannau'n hyn fyth gan y bu tŷ ar y safle ers y ddeuddegfed ganrif o leiaf.

Opposite: Plas Ucha, Eglwyseg, near Llangollen, c. 1930. The house dates mainly from the sixteenth century, though some parts may be older, as there has been a house on this site since at least the twelfth century.

Sgwâr Farchnad Corwen, tua 1910. Roedd yr hen ffordd dyrpeg o Lundain i Gaergybi (yr A5 presennol) yn mynd trwy'r sgwâr a'r Stryd Fawr. Roedd coetshis fel y Royal Mail yn galw'n reolaidd, gyda gwesty'r Owain Glyndwr ar y chwith yn dŷ tafarn pwysig ar gyfer ymwelwyr.
Corwen Market square, c. 1910. The old London to Holyhead turnpike road (now the A5) passed through the square and High Street. Coaches such as the Royal Mail called regularly; the Owain Glyndwr Hotel in the left of the photograph was a very important hostelry for travellers.

Pont y Pandy, Cynwyd, tua 1910. Mae'r bont garreg ddeniadol hon dros yr afon Ddyfrdwy yn gorwedd i ogledd y pentref – mae'r enw yn awgrymu fod melin bannu gerllaw. Mae ym mhlwyf Llangar gyda'i heglwys hynafol yn sefyll ar ochr ddwyreiniol yr afon rhwng Cynwyd a Chorwen.
Pont y Pandy, Cynwyd, c. 1910. This picturesque stone bridge over the river Dee lies to the west of the village – the name implies a nearby fulling-mill (pandy). It is in the parish of Llangar whose ancient church is on the eastern bank of the river between Cynwyd and Corwen.

Rhug, ger Corwen, tua 1900. Mae rhan helaeth o'r tŷ presennol yn dyddio'n ôl i gartref deunawfed ganrif y teulu Vaughan gan fod y rhan fwyaf o estyniadau'r ganrif ddiwethaf wedi eu tynnu ymaith. Erbyn dyddiad y ffotograff roedd y teulu Wynn yn byw yno.

Rug, near Corwen, c. 1900. Much of the present house dates back to the late eighteenth century, when it was the home of the Vaughan family. By the date of this photograph, the Wynn family were in residence. The nineteenth-century extensions have now mostly been removed.

Y bont dros yr afon Ddyfrdwy yng Ngharrog, tua 1910. Mae'r bont garreg pum bwa wedi ei rhestru fel adeilad o ddiddordeb pensaerniol neu hanesyddol gradd II. Mae un o'r llochesau ar yr adeiladwaith yn dwyn yr arysgrif 1661.

The bridge over the river Dee at Carrog, c. 1910. This five-span stone bridge is listed as a grade II building of architectural or historic interest. One of the triangular refuges on the structure bears the inscription, 1661.

Pafiliwn Corwen, 1913. Mae tynged y Pafiliwn wedi bod yn y fantol nifer o weithiau wedi ei hadeiladu yn 1913. Erbyn hyn, ar ôl moderneiddio a helaethu mae'n eistedd 4,000. Yma y cynhaliwyd eisteddfod genedlaethol gyntaf Urdd Gobaith Cymru ym 1929; dros y blynyddoedd daeth miloedd i fynychu gyngherddau ac i wrando ar areithwyr oedd yn cynnwys Lloyd George ac Aneurin Bevan.

Corwen Pavilion, 1913. The Pavilion's fate has been in the balance a number of times since its construction in 1913. Now, after modernisation and extension it seats 4,000. The first eisteddfod of the Welsh youth movement – the Urdd – was held here in 1929; over the years thousands have attended concerts and listened to speakers including Lloyd George and Aneurin Bevan.

Ty anhysbys ym mryniau'r Berwyn, tua 1860. Mae'r ffotograff yn un allan o gyfres o brintiau gan arloeswr ffotograffiaeth yn ardal Corwen, John Lloyd o Rhaggat fu farw ym 1865. Os saif y tŷ byth mae'n debygol nad oes modd ei adnabod o'r llun.

Unidentified house in the Berwyns, c. 1860. This is one of a series of photographic prints by a pioneer of photography in the Corwen area, John Lloyd of Rhaggat, who died in 1865. If the house still stands it is probably much changed from the photograph.

Rhan Dau/Section Two
Cymdeithas
Society

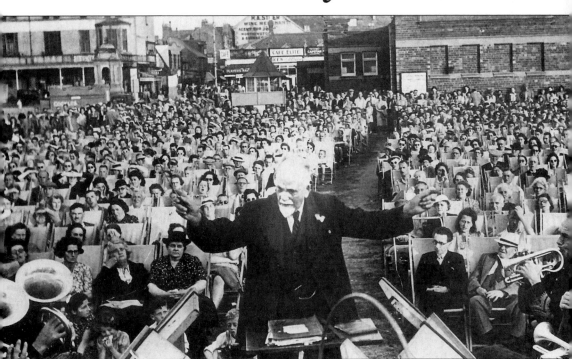

Cystadleuaeth arweinyddion amatur, rhodfa'r Rhyl, 1947, un nodwedd o'r atyniadau tymhorol ar ddiwedd y 1940au. Gellir gweld ffynnon goffa Conwy ar y chwith, ynghyd â'r adeilad ar y gornel oedd yn fuan i ildio'i le i siop Woolworth.

Amateur conductors' competition, Rhyl promenade, 1947, a feature of the seasonal attractions in the late 1940s. The Conwy fountain can be seen in the background on the left, together with the building on the corner soon to be replaced by a Woolworth's store.

Aelodau ysgol Sul Capel Fforddlas, Llangwyfan, yn ymweld â thalwrn ceiliogod Dinbych, tua 1908. Safai'r adeilad yn y buarth y tu cefn i dafarn yr Hawk and Buckle yn Stryd y Dyffryn. Chwalwyd yr adeilad ym 1964, ond fe'i ail-godwyd yn Amgueddfa Werin Cymru, Sant Ffagan, Caerdydd.

Members of Fforddlas Chapel Sunday school, Llangwyfan visiting Denbigh Cockpit, c. 1908. The building stood in the yard behind the Hawk and Buckle Inn in Vale Street. It was taken down in 1964 and reconstructed in the grounds of the Welsh Folk Museum, St Fagan's, Cardiff.

Taith siarabáng ysgol Sul Llandegla i'r Rhyl, tua 1925. Rhagdrefnwyd yn aml i'r cwmniau bysiau aros wrth man penodol ar gyfer ffotograffydd lleol a dynnodd cipluniau i'w gwerthu i'r teithwyr.

Llandegla Sunday school charabanc trip to Rhyl, c. 1925. The bus companies often stopped at a pre-arranged spot for a local photographer to take a souvenir snapshot to sell to passengers.

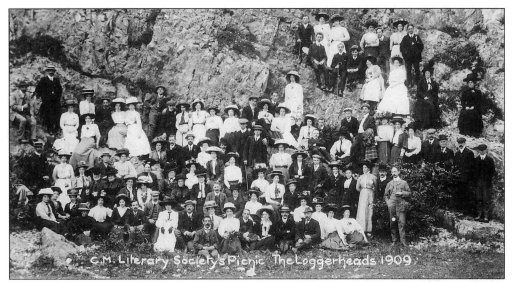

Aelodau Capel Mawr, Dinbych ar wibdaith haf i glogwyni carreg galch yr afon Alun yn Loggerheads, ger Llanferres, 1909. Nawr yn barc gwledig, bu'n fan poblogaidd ar gyfer picnic ers canol y ganrif ddiwethaf.

Summer excursion by members of Capel Mawr, Denbigh to the limestone cliffs above the river Alyn at Loggerheads near Llanferres, 1909. This venue, now a country park, had been a popular place for picnics since at least the middle of the last century.

Cymdeithas gorawl Llangollen, tua 1890. Arweinydd y côr mawr hwn oedd Pencerdd Williams, saer meini coffa, sy'n eistedd yng nghanol y rhes flaen. Estynwyd y traddodiad cerddorol i lawr i'w fab, y diweddar W.S. Gwynn Williams, un o sylfaenwyr Eisteddfod Ryngwladol Gerddorol Llangollen ym 1947 a'i chyfarwyddwr cerddorol am ddeng mlynedd ar hugain.

Llangollen choral society, c. 1890. The conductor of this large choir was Pencerdd Williams, stone mason, seated in the centre of the front row. The musical tradition was handed down to his son, the late W.S. Gwynn Williams, one of the founders of the Llangollen International Musical Eisteddfod in 1947 and its musical director for thirty years.

Cyflwyno tysteb genedlaethol i Thomas Gee (1815-98) ym Mhlas Castell, Dinbych, Pasg 1897. Yr oedd Gee yn gyhoeddwr blaenllaw, golygydd prif bapur newydd Cymru, *Baner ac Amserau Cymru*, ac yn 1889 fe ddaeth yn gadeirydd cyntaf Cyngor Sir Ddinbych. Mae Mr a Mrs Gee yn eistedd yng nghanol yr ail res ger tri AS Rhyddfrydol: J.H. Roberts (Gorllewin Sir Ddinbych), ar y chwith; David Lloyd George (Caernarfon) a Tom Ellis (Meirionydd) yn sefyll y tu cefn ar y dde.

Presentation of a national testimonial to Thomas Gee (1815-98) at Plas Castell, Denbigh, Easter 1897. Gee was a prominent publisher, editor of the leading Welsh newspaper, Baner ac Amserau Cymru, *and, in 1889, first chairman of Denbighshire County Council. Mr and Mrs Gee are seated in the middle of the second row near three Liberal MPs: J.H. Roberts (West Denbighshire) is seated to the left; David Lloyd George (Caernarfon) and Tom Ellis (Meirioneth) are standing behind, to the right.*

Neuadd y Dref, Prestatyn (sinema y Scala yn awr), ar ddiwrnod yr agoriad swyddogol. Rhoddodd Arthur Foulkes-Roberts, cyfreithiwr o Ddinbych, yr arian ar gyfer yr adeilad, a oedd hefyd yn cynnwys ei swyddfeydd. Perfformiwyd yr agoraid gan Mrs C. McLaren, merch H.D. Pochin ac yn ôl y *Rhyl Journal* roedd yr achlysur yn nodi datblygiad y lle o bentref i dref.

Prestatyn Town Hall (now the Scala cinema) on 26 July 1900, the day of its official opening. Arthur Foulkes-Roberts, a solicitor from Denbigh, provided the funding for the building which also housed his offices. It was opened by Mrs C. McLaren, the daughter of H.D. Pochin and, according to the Rhyl Journal marked the transition of the place from a village into a town.

Agoriad Neuadd Flodau Y Rhyl ar 15 Mai 1959 gan Ray Turner, cadeirydd y Cyngor Dinesig. Derbyniodd yr atyniad lliwgar hwn dros filiwn o ymwelwyr yn ei dair blynedd cyntaf. Ychwanegwyd y gair 'brenhinol' at yr enw ar ôl ymweliad Dug a Duges Caerloyw ym 1960. Fe'i hadeiladwyd am gost o dros £21,000 ac yn ôl cyfarwyddlyfr tymor 1960-1 roedd eisioes yn olygfa lliwgar o flodau a chactws egsotig. Mae'r Ganolfan Bywyd y Môr yn sefyll yn ei lle erbyn hyn.

The opening of the Floral Hall, Rhyl, on 15 May 1959 by Ray Turner, chairman of the Urban District Council. This colourful attraction received over a million visitors in its first three years. The word 'royal' was added to its name after the visit of the Duke and Duchess of Gloucester in 1960. It was erected at a cost of over £21,000 and according to the 1960-61 season guidebook was already 'a blaze of glorious flowers and exotic cacti'. The Sea Life Centre now stands in its place.

Dadorchuddio'r gofeb i'r un ar bymtheg o feirw'r Rhyfel Byd Cyntaf o blwyf Gwyddelwern ar 26 Hydref 1921 y tu allan i Gapel MC Moriah, gan Joseph Davies, Wernddu.
The unveiling of the monument to the sixteen dead of the First World War from the parish of Gwyddelwern, by Joseph Davies, Wernddu, outside Moriah MC chapel, 26 October 1921.

Gwerthiant anifeiliaid yn Lodge Farm, Henllan, a ffermwyd gan aelodau o deulu Davies, 1894.
Sale of livestock at Lodge farm, Henllan, then worked by the Davies family, 1894.

Gosod carreg sylfaen y capel newydd yng Nghyffylliog, 1905, ar adeg y diwygiad crefyddol yng Nghymru. Wedi hynny, aeth y dorf yn ei flaen i ysgol gynradd y pentref, i wrando ar atgofion yr aelodau hŷn a thrafodaethau ar hanes lleol yr achos Calfinaidd.
Laying the foundation stone of the new chapel at Cyffylliog, 1905, at the time of the religious revival in Wales. Afterwards, people proceeded to the elementary school in the village to hear reminiscences from the elderly members and talks on the history of the Calvinist Methodist cause locally.

Siop Hirwaen, Llanbedr Dyffryn Clwyd, 1890. Pentref bach yw Hirwaen yng ngogledd plwyf Llanbedr. Mae'r ffotograff yn dangos aelodau teulu Roberts y tu allan i'w siop gyda'r trol ful roeddynt arfer ei hurio allan a'i defnyddio i gasglu stoc. Roedd Mrs Roberts, sy'n eistedd ar y chwith yn y drol, yn ddynes fanwl a thwt oedd yn gwyngalchu llawr pridd ei thŷ.

Shop Hirwaen, Llanbedr Dyffryn Clwyd, 1890. Hirwaen is a small hamlet in the north of Llanbedr parish. The photograph features members of the Roberts family outside the shop with their donkey-cart which they hired out and used for collecting stock. Mrs Roberts (seen here on the left of the cart) was a meticulous and tidy woman who kept the earth floor of their house whitewashed.

Trigolion Cynwyd dros eu pedwar ugain oed, tua 1905. Mae henoed y pentref, Nedw Morris, Miriam Edwards, Betsan Roberts ac Ann Jones yn eistedd y tu allan i dafarn y Prince of Wales a gyflenwai, yn ôl hysbyseb o 1913, lety ardderchog ar gyfer masnachwyr, pysgotwyr ac ymwelwyr. Poblogaeth y pentref yng nghyfrifiad 1911 oedd 572.

Cynwyd's octogenarians, c. 1905. The village's aged inhabitants – Nedw Morris, Miriam Edwards, Betsan Roberts and Ann Jones – sit outside the Prince of Wales Inn which provided, according to a 1913 advertisement, 'excellent accommodation for commercials, anglers and visitors'. The village had a population of 572 in the 1911 census.

Carcharorion rhyfel Almaenig o wersyll carcharorion rhyfel Bathafarn yn fferm Plas Isa, Llanbedr DC, tua 1918-19. Defnyddiwyd carcharorion rhyfel i weithio ar ffermydd yn ystod y Rhyfel Byd Cyntaf a'r Ail, ac roedd sawl gwersyll yn y sir.

German prisoners of war, from Bathafarn POW camp, at Plas Isa farm, Llanbedr DC, 1918 or 1919. Prisoners of war were used as farm labourers in both the First and Second World Wars, and there were several camps in the county.

Torf mewn arwerthiant yn Smithfield, Llangollen, tua 1880. Cynhaliwyd marchnad gwartheg a defaid bob dydd Mawrth; mae marchnadoedd yn dal i gael eu cynnal ar y safle, ond yn gwerthu nwyddau amrywiol yn hytrach nag anifeiliaid. Fe'i defnyddid hefyd ar gyfer parcio siarabangs, ac mae'n parhau i fod yn faes parcio ar gyfer bysys a cheir.

Crowd at a sale in Llangollen Smithfield, c. 1880. Cattle and sheep auctions were held every Tuesday; markets are still held on the site, but of miscellaneous stalls, rather than livestock. The site also doubled as a park for charabancs, and is still used for buses and cars.

Llety Lloyd ar gyfer seiclwyr, Llangollen, 1905. Roedd yn Llangollen o leiaf dau westy yn cynnig cyfleusterau ar gyfer seiclwyr. Y llall oedd y Waverley ar Ffordd Caergybi.
Lloyd's Cyclists Guest House, Llangollen, 1905. There were at least two hotels catering for cyclists in Llangollen at the turn of the century. The other was the Waverley on Holyhead Road.

Cymdeithas Seiclo Corwen, 1882. Daeth y dref, lle poblogaidd am seibiant ar yr A5, yn gyrchfan cynnar i glwbiau seiclo. Mae'n amlwg fod cymdeithas Corwen yn ystyried telynor yn hanfodol ar gyfer eu gweithgareddau.
Corwen Cycling Club, 1882. The town, being a popular resting-place on the A5, was an early attraction for cycling clubs. Corwen's club obviously thought a harpist essential for its own activities.

Cangen Glyndyfrdwy o Gymdeithas Fuddiannol Owain Glyndwr y tu allan i dafarn y Berwyn (y Berwyn Arms Hotel presennol, adeilad rhestredig gradd II). Tynnwyd y ffotograff ar achlusyr cinio blynyddol y clwb tua 1883. Adeiladwyd y prif adeilad fel tafarndy i'r goetsh fawr ac mae'n gysylltiedig ag adeiladu tyrpeg Ffordd Caergybi Telford.

The Glyndyfrdwy branch of the Owain Glyndwr Benevolent Club outside the Berwyn Inn (now the Berwyn Arms Hotel, a Grade II listed building). The photograph was taken at the club's annual dinner in about 1883. The main building was originally a coaching inn and is associated with the construction of Telford's Holyhead Road turnpike.

Band Cynwyd a changen Edeyrnion o gymdeithas yr Odyddion, tua 1900. Roedd cymdeithasau fel hyn yn nodwedd bwysig cyn dyddiau'r gwasanaeth lles gwladol, a'i gwleddau clwb blynyddol yn un o uchafbwyntiau'r flwyddyn.

Cynwyd band and the Edeyrnion branch of the Oddfellows Society, c. 1900. Societies such as these played an important role before the days of state welfare, and their annual club feasts were one of the highlights of the year.

Sgowtiaid Rhuddlan o bob oed yng nghastell Rhuddlan, 1931.
Rhuddlan Cubs, Scouts and Rover Scouts in Rhuddlan Castle, 1931.

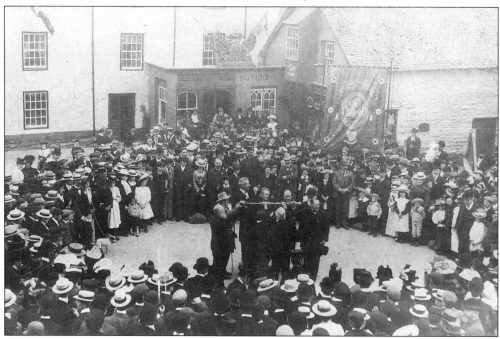

Gorsedd Eisteddfod Gŵyl y Banc, Corwen ar sgwâr y dref, 1912. Mae cysylltiad Corwen ag eisteddfodau wedi bod yn un cryf gydag eisteddfod Gŵyl y Banc mis Awst yn ddigwyddiad poblogaidd iawn hyd at ddechreu yr Ail Ryfel Byd.
The Gorsedd of the Corwen Bank Holiday Eisteddfod in the town square, 1912. Corwen's association with eisteddfodau has been a strong one, with the August Bank Holiday festival a very popular event until the outbreak of the Second World War.

Cyhoeddi Eisteddfod Genedlaethol Y Rhyl, 1891. Saif yr archdderwydd Clwydfardd gyda'r barf hir gwyn (David Griffith, 1800-94), a anwyd yn Stryd y Dyffryn, Dinbych yng nghanol y llun gyda'i olynydd Hwfa Môn (Rowland Williams) wrth ei ochr chwith.

Proclaiming the Rhyl National Eisteddfod, 1891. The archdruid, with the long white beard, is Clwydfardd (David Griffith, 1800-94). He was born in Vale Street, Denbigh, and is standing in the centre of the picture with his successor, Hwfa Môn (Rowland Williams) on his left.

Aelodau'r orsedd yn canu *Hen wlad fy nhadau* ar lwyfan yr Eisteddfod Genedlaethol yn Ninbych ym 1939. Gweler yr Archdderwydd a David Lloyd George AS o flaen y côr ar ddiwedd seremoni'r cadeirio.

Members of the gorsedd singing the Welsh national anthem on the stage of the National Eisteddfod pavilion at the conclusion of the chairing ceremony, Denbigh in 1939. The Archdruid and David Lloyd George MP can be seen in front of the choir.

Cyfarfod o ganghenau Rhuthun a Gellifor o Urdd Gobaith Cymru, mae'n debyg yng Ngellifor ym 1934. Sefydlwyd yr Urdd, mudiad diwylliannol ar gyfer pobl ifanc, gan Ifan ab Owen Edwards ym 1922. Gweler Edward Stanton Roberts, a sefydlodd y ddwy gangen tra'n brifathro yn ysgolion y pentrefi, yn y llun.

A meeting of the Ruthin and Gellifor branches of the Welsh League of Youth (Urdd Gobaith Cymru), probably at Gellifor in 1934. The Urdd, a Welsh cultural movement for young people, was founded by Ifan ab Owen Edwards in 1922. Edward Stanton Roberts, who started the two branches when headteacher at the village schools, is included in the photograph.

Barnwr cylchdaith y brawdlys, ei gerbyd, ei osgordd o fiwglwyr, ei warchodwyr o'r heddlu a swyddog y siryf y tu allan i Westy'r Castell, Sgwâr Sant Pedr, Rhuthun, tua 1910. Disodlwyd Llys y Sesiwn Fawr a sefydlwyd yng Ngymru ym 1543 gan ail Ddeddf Uno Harri VIII, gan y Brawdlys ym 1833. Cynhelid y llysoedd hyn i brofi achosion oedd yn rhy ddifrifol neu bwysig i Lysoedd Chwarter y siroedd. Fe ddiddymwyd y brawdlys yn ei dro a'i gyfnewid â Llys y Goron ym 1970. Nid yw'r agwedd seremonïol wedi goroesi.

The Assize Circuit judge, his carriage, escort of buglers, police guard and a sheriff's officer outside the Castle Hotel, St Peter's Square, Ruthin, c. 1910. The Court of Great Sessions, which had been established in Wales in 1543 by Henry VIII's second Act of Union, was replaced by the Assize court in 1833. The courts met to try cases too serious or important for the county courts of Quarter Session. The Assize courts were in turn replaced by Crown Courts in 1970 and this ceremonial aspect has not survived.

Gyferbyn: Yr orymdaith i lawr Stryd Fawr Llanelwy ar achlysur gorseddiad Dr A.G. Edwards fel Archesgob cyntaf Cymru ar 1 Mehefin 1920. Dengys y ffotograff Dr Edwards yn dilyn Harold Edwards (Canghellor yr Eglwys Gadeiriol), Canon Dr Joyce (Esgob Mynwy yn ddiweddarach) ac Archddeacon Lloyd.

Opposite: The procession down St Asaph High Street on the occasion of the enthronement of Dr A.G. Edwards as the first Archbishop of Wales on 1 June 1920. The photograph shows Dr Edwards preceded by Harold Edwards (Chancellor of the Cathedral), Canon Dr Joyce (later Bishop of Monmouth), and Archdeacon Lloyd.

Gosgordd milwrol a dau swyddog Almaenig wedi eu hailgipio ym Mhwll y Grawys, Dinbych, 1915. Roeddynt wedi dianc o wersyll carcharorion rhyfel Dyffryn Aled yn Llansannan, ac wedi cyrraedd glannau gogledd Cymru cyn eu dal. Fe'u hebryngwyd yn ôl gan bymtheg ar hugain o filwyr, gan gynnwys rhai o Adfyddin De Sir Gaerhirfryn.

Military escort and two recaptured German officers at Lenten Pool, Denbigh, 1915. They escaped from Dyffryn Aled POW camp at Llansannan and had reached the north Wales coast before capture. They were escorted back by thirty-five soldiers, including some from the South Lancashire Reserves.

Helfa Fflint a Dinbych yn croesi dros bont Rhuddlan, tua 1950. Sefydlwyd yr helfa ym 1833 gan Yr Arglwydd Mostyn er y bu cymdeithasau hela eraill yn yr ardal trwy gydol y ddeunawfed ganrif.

Flint and Denbigh Hunt crossing over the Rhuddlan bridge, c. 1950. The hunt was founded in 1833 by Lord Mostyn, though there had been other hunt clubs in the area throughout the eighteenth century.

George V a'r Dywysoges Mary gyda gosgordd o geidiaid Sir Ddinbych yn agoriad swyddogol sanatoriwm Llangwyfan ar gyfer cleifion â'r dicáu (twbercwlosis), 16 Gorffennaf 1920. Adeiladwyd yr ysbyty fel rhan gogledd Cymru o Goffadwriaeth Cenedlaethol Cymru i Edward VII. *George V and Princess Mary with an escort of Denbighshire Girl Guides at the official opening of Llangwyfan Sanatorium for tuberculosis patients, 16 July 1920. The hospital was built as the north Wales' contribution to the Welsh National Memorial to Edward VII.*

Tywysog Cymru (yn ddiweddarach Edward VIII) yn cyfarfod â chyn-filwyr y Rhyfel Byd Cyntaf, yn Sgwâr Sant Pedr, Rhuthun, 2 Tachwedd 1923. Cynrychiolwyd y Cyngor Bwrdeistrefol gan y maer, Mr Lecomber. Deiliaid yr adeilad yn y cefndir, sef yr hen lys (nawr banc y National Westminster) oedd yr haearnwerthwyr Aldrich a'i gwmni, a banc y National Provincial. *The Prince of Wales (later Edward VIII) meeting veterans from the First World War in St Peter's Square, Ruthin, 2 November 1923. The Borough Council was represented by the mayor, Mr Lecomber. The building in the background, the old courthouse (now the National Westminster bank) was then occupied by Aldrich & Co, ironmongers, and the National Provincial bank.*

Ymweliad Tywysog a Thywysoges Cymru ym 1894 i osod carreg sylfaen beth a elwir Ysbyty Alexandra, Y Rhyl heddiw. Roedd yr ysbyty wedi mynychu nifer o gartrefi ers ei sefydliad ym 1872, ac ym 1882 rhoddodd y Dywysoges Alexandra ganiatâd i ddefnyddio ei henw.

The visit of the Prince and Princess of Wales to lay the foundation stone to what is now the Alexandra Hospital, Rhyl, in 1894. The hospital had occupied various premises since its founding in 1872, and in 1882 Princess Alexandra had given permission for her name to be used.

Ysgol Tŷ Colet, Y Rhyl ar ddiwrnod coroni Sior V, 22 Mehefin, 1911. Roedd yr ysgol baratoi (a agorwyd ym 1888) yn un o nifer fawr o ysgolion preifat oedd yno yn y cyfnod hwnnw. Safai ar y glannau, i ochr ddwyreiniol y Stryd Fawr, mae'n gartref preswyl o'r enw Dewi Sant yn awr.

Colet House School, Rhyl, on the day of George V's coronation, 22 June 1911. The preparatory school (opened in 1888) was one of a large number of public schools there at that time. It was situated on the sea-front to the east of the High Street and is now St David's residential home.

Rhan Tri/Section Three
Adloniant
Entertainment

Ymwelwyr haf mewn safle gwersylla ar Ffordd Tynewydd, Y Rhyl, 1937. Mae'r prinder cymharol o drafnidiaeth modurol yn awgrymu fod y rhan fwyaf o'r gwersyllwyr hapus hyn wedi cyrraedd pen eu taith ar y trên. Mae carafanau erbyn hyn wedi cymryd lle y pebyll cynfas.
Holidaymakers at a campsite on Tynewydd Road, Rhyl, 1937. The comparative lack of motor-transport implies that most of these happy campers arrived at their destination by train. Caravans have now replaced the canvas tents.

Neuadd ddawnsio y Ritz ar Rodfa'r Gorllewin, Y Rhyl yn ystod y tân a'i dinistriodd ym mis Hydref 1968. Roedd yn gyrchfan boblogaidd i ieuenctid gogledd ddwyrain Cymru i weld y grwpiau pop diweddaraf, gan gynnwys Y Beatles a ymddangosodd yno ym mis Gorffennaf 1963. *The Ritz dance-hall, West Parade, Rhyl, during the fire which destroyed it in October 1968. It was a popular venue for the young of north-east Wales, allowing them to see the latest pop groups in action, including The Beatles, who appeared there in July 1963.*

Digwyddiad cadw'n heini yng ngerddi'r Pafiliwn, Y Rhyl, tua 1930. Ymwelai athro ffitrwydd y *News Chronicle* â'r dref yn yr haf, ac mae i'w weld yma ar y chwith yn profi cyflwr iechyd corfforol y twristiaid.

A 'Sport and Recreation' event at the Pavilion Gardens, Rhyl, c. 1930. The resort was visited by the News Chronicle's *fitness instructor in the summer, who is seen here on the left putting the holidaymakers through their paces.*

Golygfa oddi ar y clogwyn yn Loggerheads, yn edrych i'r gorllewin, tua 1934. Adeiladwyd y tŷ te gan gwmni bysys Crosville ym 1927 am tua £6,000 i annog ymwelwyr undydd o Lannau Merswy, ac yn wir fe lwyddodd i ddyblu'r gwasanaeth oddi yno. Roedd y tŷ bwyta yn cau yn ystod y gaeaf ac fe'i caewyd i lawr yn gyfangwbl yn ystod y rhyfel pryd cafodd ei ddefnyddio i storio bwydydd. Parhaodd i arlwyo ar gyfer ymwelwyr yn ysbeidiol, ond ym 1982 fe'i dinistriwyd gan dân. Mae'r ganolfan bresennol, a adeiladwyd ym 1986-7, yn cael ei redeg gan adran gwasanaethau gwledig y sir sydd, heblaw am gyflenwi'r cyfleusterau arferol i ymwelwyr, yn ffynhonell ardderchog ar gyfer dehongli natur gwyllt y parc gwledig cyfagos.

Cliff-top view of Loggerheads, looking west, c. 1934. The Loggerheads tea-shop was built by the Crosville bus company in 1927 for about £6,000 to encourage day-trippers from Merseyside, and indeed succeeded in doubling the service from there. The café closed in winter and shut down completely during the war, when it was used for storage of foodstuffs. It continued to cater for visitors intermittently but in 1982 was destroyed by fire. The present centre, built in 1986-87, is run by the county's countryside services and, as well as providing visitors with all the usual facilities, is an excellent source for the interpretation of the natural history of the adjacent countryside park.

Torf yn ymgynnull ar y Rhodfa Ganolog, Y Rhyl, i fwynhau sioe Pwnsh a Jwdi gyferbyn â'r fynedfa i'r Stryd Fawr, yn hwyr yn y 1930au.
A crowd gathers to enjoy a Punch and Judy show on the central promenade, Rhyl, opposite the entrance to the High Street, late 1930s.

77

Y fynedfa i'r Marine Lake, Y Rhyl, gyda'r gorsaf trenau bach, tua 1920. Roedd yr atyniad hwn a grëwyd allan o lyn lleidiog a chors hallt yn boblogaidd iawn. Sefydlwyd llithren ddŵr erbyn 1910, ac yng ngwanwyn y flwyddyn canlynol dechreuodd y trenau bach i redeg.

Entrance to Marine Lake, Rhyl, with the miniature railway station, c. 1920. This attraction created from a muddy lagoon and salt marsh was very popular. A water-chute had been installed by 1910, and, in the spring of the following year, Rhyl's 'little trains' began service.

Ffair bleser, Y Rhyl, tua 1920. Datblygwyd ffair bleser 'Ocean Beach' i gyfrannu at y ffair ym Marine Lake oedd bron wedi ei gwblhau erbyn 1925. Roedd y 'coaster' pren a reidio ar ferlod 'ar y fferm' yn atyniadau poblogaidd ymhell i mewn i'r 1970au.

Funfair, Rhyl, c. 1920. The 'Ocean Beach' funfair was developed to complement the fair at Marine Lake, largely complete by 1925. The wooden rollercoaster and pony rides 'on the farm' were popular attractions well into the 1970s.

Gyferbyn: Pwll nofio awyr agored Y Rhyl, tua 1930. Fe'i agorwyd ar 5 Mehefin 1930, roedd yn 110 o lathenni o hyd ac roedd yn dal 775,000 galwyn o ddŵr hallt wedi'i ffiltro. Roedd ganddo fwrdd plymio a llithren ddŵr a dros 380 o giwbiclau newid. Yma y cynhalwyd y gystadleuaeth am frenhines harddwch Gogledd Cymru (a welir yma) am flynyddoedd lawer. Fe'i caewyd yn y 1970au.

Opposite: The open-air swimming pool at Rhyl, c. 1930. This was opened on 5 June 1930, was 110 yards long and held 775,000 gallons of filtered sea-water. It was complete with diving-board and water-chute and over 380 changing cubicles. It was the venue for the North Wales Beauty Queen competition (seen here) for many years. It closed in the 1970s.

Sioe o'r enw 'Uncle Billy's Fun Cruise' yn y theatr awyr agored ar Rodfa'r Gorllewin, Y Rhyl, tua 1920. Uncle Billy oedd Will Parkin a oedd â chysylltiadau hir â'r dref glan y môr gan ymddangos yno'n gyntaf ym 1927. Sylwer nad oedd morglawdd yn y cyfnod hwn.

A show called Uncle Billy's Fun Cruise at the open-air theatre, West Parade, Rhyl, c. 1920. Uncle Billy was Will Parkin who had a long association with the seaside town, first appearing there in 1927. Note the absence of the sea-wall at this date.

Rhodfa'r Gorllewin, Y Rhyl yn hwyr yn y 1940au. Roedd y pwll padlo, pier a'r pafiliwn enwog gyda'i gromen enfawr yn atyniadau mawr yr adeg hynny. Er gwaethaf ei phroblemau, y gromen oedd y rhan caletaf o'r adeilad i'w dymchwel ym 1974.

The West Parade at Rhyl in the late 1940s. The paddling pool, pier and famous pavilion with its massive dome were great attractions then. For all its problems, the dome was the hardest part of the building to demolish in 1974.

Cert Calan Mai wedi ei addurno ar y thema 'Y Gymanwlad' wedi ei barcio yn marchnad Llangollen, tua 1910. Roedd gorymdeithiau Calan Mai gyda'r cerbydau lliwgar o dan lywyddiaeth Brenhines y Mai a'i dilynwyr yn boblogaidd iawn yn y trefi a'r pentrefi mwy.
May Day float parked at Llangollen Smithfield, on the theme 'The Commonwealth', c. 1910. Annual May Day processions of decorated floats presided over by the May Queen and her attendants were popular in most towns and larger villages.

Band tref Llangollen, 1909. Roedd gan y mwyafrif o drefi fand i gyflenwi cyfeiliant ar gyfer achlysuron cymdeithasol a dinesig yn y cyfnod cyn bod adloniant torfol ar gael.
Llangollen town band, 1909. Most towns had a band to provide music on social and civic occasions, at a time before mass entertainment was available.

Cyflwyno gwobrau yn y lawnt fowlio, y tu ôl i Gorffwysfa a thŷ Nantclwyd, Stryd y Castell, Rhuthun, tua 1900. Roedd y clwb bowlio yn rhan o'r clwb cyfansoddiadol yn Stryd y Castell, yn ddiweddarach y Clwb Ceidwadol.

Presentation of prizes at the bowling-green, behind Gorffwysfa and Nantclwyd House, Castle Street, Ruthin, c. 1900. The bowling club was part of the Constitutional club in Castle Street, later the Conservative club.

Clwb criced Llanychan yn 1904.
Llanychan cricket club in 1904.

Treialon cŵn defaid Feifod, Llangollen, 1909. Symudodd y treialon i Feifod, cartref teulu'r Best, o Riwlas, Y Bala ym 1885. Mae'r dyn yn y canol yn pwyso ar y corn siarad a ddefnyddid ar gyfer cyhoeddiadau cyhoeddus.

Vivod sheepdog trials, Llangollen, 1909. These trials moved to Vivod, the home of the Best family, from Rhiwlas, Bala, in 1885. The man in the centre is leaning on the megaphone used for public announcements.

Yr unig ffotograff hysbys yn dangos y Grand Pavilion yn cael ei adeiladu, tua 1908.
The only known photograph showing the Grand Pavilion in the course of construction, c. 1908.

Ymwelwyr Edwardaidd yn mwynhau seibiant yn y llochesau y drws nesaf i'r Pafiliwn a'r gerddi.
Edwardian tourists enjoy a quiet time in the shelters adjacent to the Pavilion and gardens.

Grand Pavilion, Y Rhyl gyda'i gromen enwog, 120 troedfedd o uchder, wedi ei lifoleuo, mae'n debyg yn ystod Eisteddfod Genedlaethol 1953. Roedd y Pafiliwn, y bandstand a'r gerddi wedi eu llunio fel cyfanwaith a'u dylunio gan gwmni o benseiri o Fanceinion. Fe'u hagorwyd gan yr Arglwydd Mostyn ym 1908 am y cyfanswm o £16,500. I ddechrau safant ar bentir bychan nes y lledaenwyd y rhodfa.
The Grand Pavilion, Rhyl, with its famous 120-foot-high dome floodlit, probably at the time of the 1953 National Eisteddfod. The Pavilion, bandstand and gardens were conceived as a unit and designed by a Manchester firm of architects. They were opened by Lord Mostyn in 1908 for a total cost of £16,500. At first they stood on a small promontory until the promenade was widened.

Rhan Pedwar/Section Four
Gwaith
Work

Gweithwyr cwmni rheilffyrdd Llundain a'r Gogledd-Orllewin ar blatfform gorsaf Dinbych, 1882. Thomas Artemus Jones (1871-1943) yw'r bachgen yn y tu blaen ar y chwith, a ddaeth yn ddiweddarach yn farnwr ac yn Gwnsler y Brenin. Yr oedd gorsaf Dinbych ar linyell Y Rhyl i Gorwen, ac mewn gweithrediad o'r 1860au hyd yr 1960au.

Employees of the London & North Western Railway Company on the platform of Denbigh station, 1882. The boy in the front on the left is Thomas Artemus Jones (1871-1943) who later became a King's Counsel and judge. Denbigh station was on the Rhyl to Corwen line and was in operation between the 1860s and 1960s.

Siop Robert Hughes, 2 Sgwâr Sant Pedr, Rhuthun, tua 1905. Roedd y teulu'n flaenllaw yn y dref, ac yn fasnachwyr y byd garddio, hadau a melysion.
Robert Hughes' shop at 2 St Peter's Square, Ruthin, c. 1905. The Hughes family, prominent in the town, were in business as gardeners, seedsmen and confectioners.

Peiriant stêm yn perthyn i Evans a'i gwmni, Victoria Mills, Treffynnon yn cludo blawd i siop groser C.H. Lewis, Stryd y Dyffryn, Dinbych, 1908.
Steam-engine belonging to Evans and Co., Victoria Mills, Holywell, delivering flour to C.H. Lewis' grocer's shop, Vale Street, Denbigh, 1908.

Swyddfa bost a siop groser Nantglyn, tua 1910. Bu'r siop ar agor hyd y 1960au. Mae Nantglyn yn bentref i'r de-ddwyrain o Ddinbych.

Nantglyn post office and grocery shop, c. 1910. The shop remained open in the village until the 1960s. Nantglyn is a village south-east of Denbigh.

Llwytho casgenni cwrw ar drol ym Mragdy fferm Coppy, Henllan, tua 1900. Price-Story oedd ffarmwr a bragwr fferm Coppy, ac roedd y teulu'n berchen ar dafarndai yn Back Row, Dinbych a thafarn Y Llindir yn Henllan.

Loading beer-barrels on to a dray at Coppy farm brewery, Henllan, c. 1900. Price-Story was the farmer and brewer at Coppy and the family owned public houses in Back Row, Denbigh and the Llindir Inn at Henllan.

Agoriad swyddogol garej Peter Evans, Pentre Motors, Llanrhaeadr, gan yr AS lleol, Syr Henry Morris-Jones, ar 31 Gorffennaf 1959. Roedd yn AS o 1929 hyd ei ymddeoliad ym mis Hydref 1950. Bu farw ym Mryn Dyfnog, Llanrhaeadr ym 1972.

Official opening of Peter Evans' garage and service-station at Pentre Motors, Llanrhaeadr, by the local MP, Sir Henry Morris-Jones on 31 July 1959. He was MP from 1929 until he retired in October 1950. He died at Bryn Dyfnog, Llanrhaeadr in 1972.

Llwytho lori y tu allan i hen Garchardy'r Sir, Rhuthun, a ddefnyddiwyd fel ffatri arfau Lang Pen, tua 1944. Caewyd carchar y Swyddfa Gartref ym 1916, a daeth yr adeilad i feddiant yr hen Gyngor Sir Ddinbych yn y 1920au. Yn ddiweddarach daeth yn bencadlys i wasanaeth llyfrgell y sir, ac erbyn heddiw yno mae cartref Archifdy Sir Ddinbych.

Loading a lorry outside the former Ruthin County Gaol, when used as the Lang Pen munitions factory, c. 1944. The Home Office prison had closed in 1916 and the premises were acquired by the former Denbighshire County Council in the 1920s. It later became the headquarters for the library service and the Denbighshire Record Office now occupies most of the building.

Dengys y llun osodedig hwn bysgotwr cwrwgl traddodiadol ar yr afon Ddyfrdwy pa mor brin oedd gweld cwrwgl erbyn y cyfnod hwnnw, tua 1880.
This very artificially posed photograph of a traditional coracle fisherman on the river Dee is indicative of how rare a sight coracles had become by this date, c. 1880.

Yr afon Clwyd yn Rhuddlan, tua 1860. Mae'r golygfa cynnar prin hwn yn dangos llong yn cael ei adeiladu wrth cei Tan yr Eglwys. Mae'n wyddus bod llong pumdeg un tunell y *Rhos* wedi ei lansio yn mis Tachwedd 1861. Ychwanegodd y bont gyntaf yn Foryd y Rhyl at leidio i fyny'r afon a dirywiad y diwydiant hwn.
The river Clwyd at Rhuddlan, c. 1860. This early view shows a ship being built at the Tan yr Eglwys quay. It is known that a 51-ton smack, the Rhos, was launched in November 1861. The first road-bridge at Foryd, Rhyl in 1862 added to the silting-up of the river and decline of this industry.

Bad achub Y Rhyl a'i griw, tua 1900. Lleolid y bad achub tiwbaidd, *Caroline Richardson* yn Y Rhyl o 1897 pan adeiladwyd tŷ cwch newydd am gost o £720, hyd 1939 pan y'i newidwyd am long fodurol. Yn ei bedwardeg dau o flynyddoedd o wasanaeth fe alwyd ef allan ddwywaith ar bymtheg yn unig, yn bennaf i gychod bychain mewn trafferthion. Y lansiad mwyaf pwysig oedd i achub y sgwner *Pussy Jones*, yn sownd ar fanc West Hoyle mewn gwynt cryf ym 1920.

The Rhyl lifeboat and crew, c. 1900. The tubular lifeboat, Caroline Richardson was stationed at Rhyl from 1897, when a new boathouse was built at a cost of £720, until she was changed for a motorised vessel in 1939. In her forty-two years of service she was only called out seventeen times, mostly to small craft in difficulties. Her most important launch was to assist the schooner Pussy Jones, aground on West Hoyle Bank in a gale in 1920.

Mae torf yn ymgynull i weld bad achub Y Rhyl yn cael ei lansio, tua 1916.
Crowds gather to witness the launch of Rhyl's lifeboat, c. 1916.

Voryd Harbour, Rhyl.

3007

Harbwr y Foryd, Y Rhyl, tua 1910 ar amser treiol. Byddai'r llong bysgota ar y dde wedi bod yn un o'r fflyd eitha mawr â'i gartref yn y Foryd. Derbynid cyflenwadau eraill yn yr harbwr yn cynnwys coed ar gyfer adeiladu a thrwsio llongau, glo a defnyddiau amaethyddol.
The Foryd harbour, Rhyl, at low water, c. 1910. The fishing boat, on the right, would then have been one of a sizeable fleet based at Foryd. Other commodities were received at the harbour including timber for ship-building and repairs, coal and agricultural supplies.

O bosib, diwrnod agoriadol gwaith yn chwarel gerrig Hwylfa Llwyn a Dol y Caeau rhwng pentref Llangynhafal a bryniau Clwyd, 1906. Yn ddiweddarach defnyddid cadwyni uwchben i gludo bwcedi o gerrig ffordd oddi ar ochr y mynydd. Parhaodd gwaith yn y chwarel hyd at 1937. *This was possibly the first day of operations in 1906 at the stone quarry at Hwylfa Llwyn and Dol y Caeau between Llangynhafal village and the Clwydian hills. Later, overhead cables on gantries were used to bring buckets of roadstone from the mountain-side. The quarry continued working until about 1937.*

Gweithwyr chwarel Pistyll Gwyn, Llanarmon-yn-Iâl, 1926. Cyfnant oedd enw arall y chwarel, a bu chwarela yno ers y ganrif ddiwethaf, yn bennaf ar gyfer trwsio ffyrdd. Parhaodd chwarel cyfagos tan ym mhell i mewn i'r 1970au.
Workers at Pistyll Gwyn quarry, Llanarmon-yn-Iâl, 1926. Also known as Cyfnant quarry, this had been worked since the nineteenth century and mostly produced stone for road works. An adjacent quarry continued well into the 1970s.

Yr olwyn ddŵr yn y gweithfedd llechfaen uwchben Glyndyfrdwy, tua 1910. Gweithiodd yr olwyn, 30 troedfedd ar ei thraws a drowyd gan ddŵr yn arllwys o gafn uwch ei phen, y peirianwaith yn y sied a baratodd y clytiau i'w defnyddio fel cafnau, tanciau, sinciau ac mewn gwneuthuriad byrddau biliards.

The water-wheel at the slate-slab workings above Glyndyfrdwy, c. 1910. The wheel was 30 feet in diameter and was driven by water discharging from an overhead trough; it powered the machinery in the shed which prepared slabs for use as troughs, vats, sinks and in the manufacture of billiard tables.

Dynion chwarel Penarth neu Gorwen, tua 1900. Mae rhai ohonynt yn dal morthwyl neu offer eraill. Mae un o'r dynion yn yr ail res o'r cefn yn gafael mewn corn a oedd yn cael ei ddefnyddio fel arwydd o berygl. Roedd y cynnyrch blynyddol ym 1903 yn 1,707 o dunelli. Caeodd y chwarel yn hwyr yn y 1920au.

Men of the Penarth or Corwen quarry, c. 1900. Some of them are holding hammers or other tools. One of the men in the row next to the top looks to be holding a horn which would have been used as a danger signal. In 1903, the annual output was 1,707 tons. The quarry closed in the late 1920s.

Diwrnod dyrnu yn fferm Plas Ucha, Llanfair Dyffryn Clwyd, 1905. Hyd yn oed gydag injan ddyrnu stêm roedd angen nifer fawr o weithwyr i'r dasg, yn aml wedi'u cyflenwi gan y ffermydd cyfagos yn eu tro. Mae David a Lloyd Jones, o Blas Ucha i'w gweld y trydydd a'r pedwerydd o'r chwith.
Threshing day at Plas Ucha farm, Llanfair Dyffryn Clwyd, 1905. Even using a steam-driven threshing machine the task still required a considerable number of labourers, often supplied by neighbouring farms in turn. David and Lloyd Jones of Plas Ucha are third and fourth from the left.

Ffair ddefaid Cynwyd, tua 1900. Gwerthwyd a phrynwyd miloedd o ddefaid yn y digwyddiad blynyddol hwn bob mis Hydref. Rhwng gosod yr holl stalau a'u datgysylltu parhaodd y ffair am ddyddiau. Roedd gan y pentref ym mhlwyf Llangar dair ffatri wlân a melin.
Cynwyd sheep fair, c. 1900. Thousands of sheep changed hands at this annual October event. With the setting-up of all the stalls and their dismantling, the fair lasted for days. The village, in the parish of Llangar, had three woollen factories and a mill.

94

Enillydd a gwasanaethwyr, Llanfwrog, tua 1900. Mae sioeau da byw dal yn boblogaidd yn y sir. Dyma'r enillydd mewn tair categori gwartheg eidion, mae'n debyg yn sioe Rhuthun.
Prize-winner and attendants, Llanfwrog, c. 1900. Livestock shows have always been popular in the county. This specimen was the winning entry in three beef-cattle categories, probably at the Ruthin show

Metron Ysbyty Bach Llangollen, tua 1890. Mae cyfrifiad 1891 yn enwi Martha Edwards 41 oed fel y metron, yn nyrs ac yn fydwraig dystysgrifenedig, yn hanu o Langollen ac yn ddwyieithog.
Matron of Llangollen Cottage Hospital, c. 1890. The 1891 census names the matron as Martha Edwards, aged 41, nurse and certified midwife, who came from Llangollen and spoke both Welsh and English.

Yn ystod y Rhyfel Byd Cyntaf sefydlwyd Ysbytai'r Croes Goch yn Rhuthun, Llandyrnog a Llanrhaeadr yn Nyffryn Clwyd. Defnyddid tai preifat gan y nyrsiau cynorthwyol gwirfoddol ac anfonid anrhegion oddi wrth y bobl leol i gysuro'r milwyr clwyfedig wrth iddynt wella. Yn yr ysbyty dros dro yn y Ty Gwyn, Llandyrnog (uchod, dyddiedig 1916-17) cadwodd y pennaeth, Mrs Rigby lyfr llofion o le y cafwyd y ffotograff. Yn Ystrad Isaf, Llanrhaeadr (isod, dyddiedig 1915) roedd dros ugain o gleifion a thua deg o staff parhaol.

During the First World War, Red Cross hospitals were set up at Ruthin, Llandyrnog and Llanrhaeadr in the Vale of Clwyd. The VAD (Voluntary Aid Department auxiliaries) used private houses and gifts were sent from local people for the benefit of wounded soldiers. At the temporary hospital at the White House, Llandyrnog (above, dated 1916-17) the commandant, Mrs Rigby kept a scrap-book, from which the photograph was taken. In Ystrad Isaf, Llanrhaeadr (below, dated 1915) there were over twenty convalescent soldiers and about ten permanent staff.

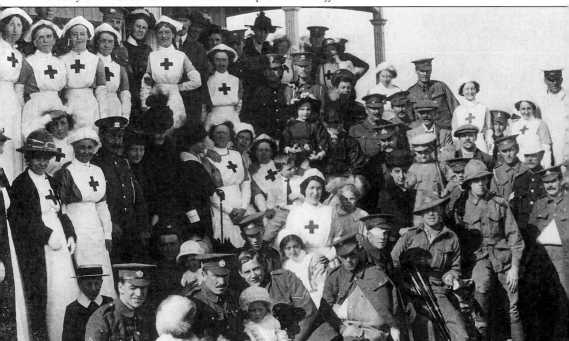

Gweision Plas Llanbedr, 1895. Mae cyfrifiad 1891 yn rhestru dwy aelod o staff yn unig yn byw
yno, Annie Lingwood, 23 oed, y gogyddes o Hertford ac Annie Miller o'r un oed, morwyn o
Wrecsam. Mae'n debyg bod y gweddill yn byw'n lleol.
*Llanbedr Hall domestic staff, 1895. The 1891 census lists only two members of staff resident: Annie
Lingwood aged 23, who came from Hertford and Annie Miller the same age, a housemaid from
Wrexham. The others probably lived locally.*

Gweision Ysgol Howell's, Dinbych, tua 1890. Cynhwysai y staff benywaidd yng nghyfrifiad
1891 megis y feistres tŷ, morwynion cyffredinol a chegin, yn ogystal â'r rhai yn gweithio yn y
pantri a'r golchdy, yn gyfrifol am nifer fawr o ddyletswyddau trwm. Roedd y staff, heblaw am
ddau weithiwr lleol, yn enedigol o leoedd mor bell i ffwrdd â Norwich a Northumberland.
*Howell's School domestic staff, Denbigh, c. 1890. The resident female staff listed in the 1891 census
included a housekeeper, house and kitchen-maids as well as those working in the pantry and laundry,
who carried out a large number of labour-intensive duties. The staff, apart from two local workers,
were born as far afield as Norwich and Northumberland.*

Gweithwyr cegin sanatoriwm Llangwyfan, ar adeg ymweliad brenhinol Gorffennaf 1920. Credwyd taw lluniaeth iachus a digon o awyr iach oedd y driniaeth mwyaf effeithiol ar gyfer y dicáu. Cysgai rhai o'r cleifion y tu allan mewn cabanau.

Kitchen-staff at Llangwyfan Sanatorium, probably on the occasion of the royal visit in July 1920. A healthy diet and plenty of fresh air was believed to be the most effective treatment for tuberculosis. Some patients slept outside in chalets.

Gweithwyr yn atgyweirio Eglwys Sant Saeran, Llanynys, 1967. Yr adeg hyn darganfyddwyd murlun prin Sant Christopher, dyddiedig o'r bedwared ganrif ar ddeg. Mae'n debyg i'r eglwys fod yn ran o daith pererindod o Dyddewi i Dreffynnon. *Workmen undertaking repairs to St Saeran's church, Llanynys, 1967. It was at this time that a rare St Christopher mural, dating from the fourteenth century, was discovered. It is likely that the church was on a pilgrimage route from St David's to Holywell.*

Gweithwyr ffordd Cyngor Dinesig Y Rhyl, 1947-48. Mae'r dynion yn brysur yn adeiladu'r morglawdd cyntaf ym mhen uchaf Garford Road, Y Rhyl.
Rhyl UDC workmen, 1947-48. The men are employed here in building the first sea-wall at the end of Garford Road, Rhyl.

Robert Jones wrth ei waith yn y Ffowndri Haearn, Dinbych, tua 1910. Roedd y ffowndri yn Chapel Place, ac ar droad y ganrif roedd mwy na deugain o ddynion yn gweithio yno.
Robert Jones at work in the Iron Foundry, Denbigh, c. 1910. The foundry was in Chapel Place, and at the turn of the century more than forty men were employed there.

Melin lifio Dinbych, 1900. Y perchnogion oedd y Mri Roberts, a bu'r iard ar y safle yn Stryd y Dyffryn ers y 1870au, ond erbyn 1900 roedd wedi symud i Southsea ar Ffordd Y Rhyl.
Denbigh sawmills, 1900. The proprietors were Messrs Roberts, the timber-yard had been in Vale Street since the 1870s, but by 1900 had moved to Southsea on Rhyl Road.

Gweithwyr coedwigaeth Clocaenog yn clirio eira o ffordd Clawddnewydd, 1937.
Clocaenog forestry workers clearing snow from the Clawddnewydd road, 1937.

Gwragedd yn gweithio yn ffatri arfau yr hen garchar, Rhuthun, tua 1940. Cyflogwyd gwragedd yma'n bennaf i gynhyrchu casys ar gyfer ffrwydriadau a golwgdyllau ar gyfer magnelau. Roedd y cwmni a ymsefydlodd yn yr hen garchar sirol yn dod o Lerpwl, ac yn arfer â gwneud pinau ysgrifennu.

Women munitions workers at the old gaol, Ruthin, c. 1940. Women were mostly employed here producing cases for ammunition and rifle sights. The company, which set up in the former county gaol, was from Liverpool and originally made fountain-pens.

Gweithwyr ffordd yn Llanbedr Dyffryn Clwyd, 1929. Hyd yn oed ym 1929 nid oedd pŵer peirianwaith y motor wedi llwyr ddisodli'r ceffyl. Mae'r stêm-roler yn dwyn rhif cofrestru o Peterborough.

Roadmen at Llanbedr Dyffryn Clwyd, 1929. Even in 1929 the internal combustion engine had not entirely superseded horsepower. The steam-roller carried Peterborough registration plates.

Gweithwyr llywodraeth leol, tua 1905. Mae'r enw Llanynys yn cyfeirio at 'ynys' o dir isel rhwng afonydd Clwyd a Chlywedog. Cyflogwyd y gweithwyr hyn gan Gyngor Dosbarth Gwledig Rhuthun i godi lefel glannau'r afonydd, i atal llifogydd ym mhlwyf Llanynys. Lleolir y ffotograff, mae'n debyg, ar lannau'r afon Clwyd rhwng Rhewl a Llanrhaeadr..

Local authority workmen, c. 1905. The name Llanynys refers to an 'island' of low-lying land between the rivers Clwyd and Clywedog. Here, workmen were employed by Ruthin Rural District Council to raise the level of river embankments against possible flooding in Llanynys parish. The location is probably on the river Clwyd between Rhewl and Llanrhaeadr.

Gweithwyr Cyngor Sir Ddinbych gyda pheiriannau stêm yn rhoi wyneb newydd ar y ffordd yn Llanbedr Dyffryn Clwyd, 1906.

Denbighshire County Council workmen with County Council steam-rollers resurfacing the road at Llanbedr Dyffryn Clwyd, 1906.

Gefail Cynwyd, tua 1910. Fe'i hysbysebwyd yn *Bennett's Business Directory* ym 1922 fel 'Zechariah Jones a'i fab, gwneuthurwyr offer amaethyddol a gofaint cyffredinol, haearnweithwyr ac asiantau ar gyfer feiciau a nwyddau atodol'.
The Smithy, Cynwyd, c. 1910. This is advertised in Bennett's Business Directory *of 1922 as 'Zechariah Jones and Son, agricultural implement makers and general smiths, ironmongers and agents for cycles and accessories'.*

Mr Williams o laethdy Tŷ Nôl i'r Odyn, Princes Road, Rhuddlan yn gadael ar un o'i ddau rownd llefrith dyddiol, tua 1925.
Mr Williams of Tŷ Nôl i'r Odyn dairy, Princes Road, Rhuddlan setting off on one of his twice-daily milk rounds, c. 1925.

Taith olaf y cerbyd post rhwng Rhuthun a'r Fflint, 31 Awst 1913. Tynnwyd y llun wrth Tan yr Unto, Llanbedr. Mae enw'r gyrrwr yn anhysbys ond gan fod y post yn nwylo contractwyr nid yw'n debygol o fod yn ddyn lleol.

Last run of the horse-mail between Ruthin and Flint, 31 August 1913. The picture was taken at Tan yr Unto, Llanbedr. The driver's name is unknown, but, since the mail was run for the post-office by contractors, it is unlikely that he was a local man.

Gweithwyr y tu allan i Odyn, Princes Road, Rhuddlan, tua 1900. Roedd yr adeilad mewn tri rhan, o'r chwith yr efail, wedyn gweithdy saer olwynion yn y canol, ac odyn ar yr ochr dde. Mae clwb scowtiaid, cyfleusterau cyhoeddus a siopau bach yn sefyll ar y safle heddiw.

Workers outside Odyn, Princes Road, Rhuddlan, c. 1900. This building was in three parts; from the left, a smithy, then a wheelwright's shop in the centre, and a kiln on the right-hand side. A scout hut, public toilet and shops stand on the site today.

Arddangosiad o ysgolion pompier gan frigâd dân Rhuthun, tua 1900. Dyfeisiwyd y defnydd o bolion hirfain a bachau gan y ddau frawd Humphreys, aelodau o'r frigâd, ar gyfer mynediad rhwyddach a chynt i loriau uchaf adeiladau. Mae ffasâd yr adeilad ffug yn y cefndir yn cynrychioli siop groser yr Eagles yn Heol Clwyd, Rhuthun.

Display by members of Ruthin fire brigade of pompier ladders, c. 1900. The use of elongated poles and hooks was devised by the two Humphreys brothers, members of the brigade, to gain easy and quicker access to upper storeys of buildings. The façade of the mock building in the background represents the Eagles grocery store in Clwyd Street, Ruthin.

Y frigâd dân wirfoddol (ffurfiwyd yn y 1870au) wrthi yn Y Rhyl, tua 1910. Yn anffodus mae'r dref wedi cael ei chyfran o danau trychinebus. Dinistriwyd Pafiliwn y Pier ym 1901, rhan helaeth o westy a theatr y Queen's Palace ym 1907, ac ym 1903 roedd Stryd y Farchnad yn leoliad i dân a ddinistriodd warws, swyddfeydd arwerthwyr, siop beiciau a golchdy. Cymerwyd lle y gwirfoddolwyr gan wasanaeth tân proffesiynol fel un o welliannau cyfnod y rhyfel ym 1941.

The volunteer fire brigade (formed in the 1870s) in action in Rhyl, c. 1910. Unfortunately, the town has had its share of disastrous fires: the Pier Pavilion was destroyed in 1901, much of the Queen's Palace hotel and theatre in 1907, and, in 1903, Market Street was the scene of a fire which destroyed a warehouse, auctioneers' offices, cycle-shop and laundry. The volunteers were replaced by a professional fire service as one of the wartime reforms in 1941.

Brigâd dân Dinbych gydag injan dân, a dynnwyd gan geffyl, gyda plismyn yn Stryd Fawr,
Dinbych, tua 1910. Penderfynodd Cyngor Bwrdeisdref Dinbych sefydlu brigâd dân ym 1858 a
daeth i fodolaeth o'r diwedd ym 1864 am gost o £123 i'w offeru.
Denbigh fire brigade, with horse-drawn fire engine and policemen in Denbigh High Street, c. 1910.
Denbigh Borough Council had resolved to establish a fire brigade in 1858, and it finally came into
existence in 1864, at which time it cost £123 to equip.

Swyddogion yr heddlu ar ddyletswydd yn Eisteddfod Genedlaethol Llangollen ym 1908. Sefydlwyd Heddlu Sir Ddinbych ym 1840. Gwasanaethodd Major Leadbetter, y Prif Gwnstabl yn amser yr eisteddfod, yn y swydd o 1878 hyd nes iddo ymddeol ym 1911. Yn ystod y cyfnod hwnnw, bu'n ymwneud â heddlua sawl digwyddiad o bwysigrwydd lleol a chenedlaethol, gan gynnwys ymweliad y Frenhines Victoria i'r sir ym 1888, a'r terfysgoedd yn y sir yn erbyn talu'r degwm rhwng 1886-91, cyfnod a adwaenir fel Rhyfel y Degwm.

Police officers on duty at the Llangollen National Eisteddfod, 1908. The Denbighshire Constabulary had been established in 1840. Major Leadbetter, who was Chief Constable at the time of the eisteddfod, served in that office from 1878 until he retired in 1911. During that time he was involved in the policing of several events of local and national importance, including the visit of Queen Victoria to the county in 1888 and the riots against the payment of tithe between 1886 and 1891, known as the Tithe War.

Gyferbyn: Brigâd dân Llangollen mewn llecyn anysbys, tua 1910. Fe ffurfiwyd brigâd dân Llangollen yn gymharol hwyr, tua 1900. Er bod galwadau at danau o fewn ffiniau Cyngor Dinesig Llangollen yn ddi-dâl roedd unrhyw rai y tu allan i'r ardal yn achos ffi wedi ei seilio ar restr o gostau a benderfynwyd gan bwyllgor y Frigâd.

Opposite: Llangollen fire brigade, in an unidentified location, c. 1910. Llangollen fire brigade was formed relatively late, about 1900. While attendance at fires within the Llangollen Urban District was free, any calls outside the area incurred a fee based on a scale of charges decided by the Brigade Committee.

Swyddogion yr heddlu y tu allan i Neuadd y Sir, Stryd y Llys, Rhuthun tua 1920. Yr oedd Neuadd y Sir yn fan cyfarfod ynadon ar gyfer y Llysoedd Chwarter a'r brawdlysoedd. Mae'n bosib i'r swyddogion hyn fod yn aelodau o adran Dinbych. Safai gorsaf heddlu Rhuthun, a adeiladwyd ym 1891, ar y chwith, gerllaw Neuadd y Sir.

Police officers outside County Hall, Record Street, Ruthin, c. 1920. County Hall was the venue of meetings of the magistrates in Quarter Sessions and the assizes were also held here. These officers may be members of 'B' or Denbigh division. Ruthin police station, built in 1891, adjoined County Hall on the left.

Rhan Pump/Section Five
Plant
Children

Plant yn dawnsio yn Sgwâr Sant Pedr, Rhuthun, 1946. Dathlodd trigolion diwrnod 'VE' yn ddigymell ym 1945, ond trefnwyd rhaglen o weithgareddau y mis Mai canlynol, pryd y darparwyd sawl achlysur arbennig, megis yr uchod, ar gyfer pobl y dref.

Children dancing in St Peter's Square, Ruthin, 1946. Ruthin residents celebrated VE Day spontaneously in 1945 but the town organised a programme of events in the following May when various treats such as the above were arranged for the townsfolk.

Bechgyn yn ymdrochi yng nghamlas Llangollen, tua 1860. Yn y cyfnod hwn, ystyriwyd ymdrochi cymysg yn anweddus, gan fod peidio â gwisgo gwisg nofio yn arferol, ac fe gadwyd y grwpiau ar wahân.

Boys bathing in Llangollen canal, c. 1860. The lack of bathing costumes was quite usual at this period, when mixed bathing was considered improper, and groups were segregated.

Bachgen a beic penny-farthing yn fferm Plas Isa, Llanbedr Dyffryn Clwyd, 1893.
Boy and penny-halfpenny bicycle at Plas Isa farm, Llanbedr Dyffryn Clwyd, 1893.

Pasiant ysgol yng Nghefn Meiriadog, tua 1920.
School pageant at Cefn Meiriadog, c. 1920.

Mr Hodgson a cherddorfa Ysgol Borthyn, 1905. Yr oedd W.G. Hodgson yn brifathro ysgol Borthyn, Ffordd Dinbych, Rhuthun o 1900-25. Roedd gan yr ysgol draddodiad cerddorol, yn enwedig oherwydd aelodau teulu Lloyd a oedd yn gantorion a phianyddion talentog. Adnabuwyd Robert Lloyd, y prifathro hyd at 1900, fel Eos Clwyd.
Mr Hodgson and Borthyn School orchestra, 1905. W.G. Hodgson was headteacher at Borthyn School, Denbigh Road, Ruthin from 1900 to 1925. The school had a musical tradition, especially members of the Lloyd family who were gifted singers and pianists. The previous headteacher, Robert Lloyd (to 1900) was known as the Clwyd Nightingale.

Dosbarth rhifyddeg yn ysgol Love Lane, Dinbych, tua 1905. Sefydlwyd yr ysgol ym 1843, ac fe gaewyd yr ysgol ym 1938 pryd y trosglwyddwyd y disgyblion i Ysgol Frongoch.
Arithmetic class at Love Lane School, Denbigh, c. 1905. The school, built in 1843, closed in 1938, when pupils were transferred to Frongoch School.

Bechgyn mewn gwers ymarfer corff gyda phwysau ym muarth ysgol Love Lane, Dinbych, tua 1900.
Boys performing dumb-bell exercises in the school-yard, Love Lane School, Denbigh, c. 1900.

Dosbarth Babanod, Ysgol Frongoch, Dinbych, tua 1900. Agorodd Ysgol Fwrdd Frongoch ar gyfer 250 o ddisgyblion babanod ym 1877. Ym 1902 daeth y cyngor lleol yn gyfrifol am yr ysgolion bwrdd.
Infants' class, Frongoch School, Denbigh, c. 1900. Frongoch Board School, for 250 infant pupils, opened in 1877. Board schools were abolished in 1902, and it then became a council school.

Dawnsio o gwmpas y fedwn Fai, Llangollen, tua 1910. Roedd traddodiad cryf o ddathliadau Calane Mai yn y dref gyda gorymdeithio i glwt y dref. Nid yw'n hir ers iddo ddod i ben.
Maypole dancing, Llangollen, c 1910. There was a strong tradition of May Day celebrations in the town, with a procession to the Green. This has only ceased comparatively recently.

Dosbarth garddio ysgol Llandyrnog, tua 1912. Roedd saith gwely dwbl o dir a oedd yn perthyn i athro'r ysgol (John T. Jones o 1906). Darparwyd cyflenwad o offer garddio ynghyd â hadau ar gyfer y disgyblion gan yr Awdurdod Addysg Lleol. Mae adroddiad yn llyfr log yr ysgol yn disgrifio gwerth addysgiadol gwersi garddio er mwyn dysgu rhifyddeg, cyfansoddi ac arlunio. Roedd y pridd yn ysgafn, cynhyrchiol ac yn gweithio'n hawdd. Roedd yr athro yn cadw'r cynnyrch.

School gardening class, Llandyrnog, c. 1912. There were seven double-plots in the garden of the teacher (John T. Jones, from 1906). The Local Education Authority supplied garden tools and seeds for the pupils, who also planted fruit trees. A report in the school log book describes the educational merits of the gardening lessons for teaching arithmetic, composition and drawing. The soil was light, fertile and easily worked. The teacher kept the produce.

Rhan Chwech/Section Six
Trafnidiaeth
Transport

Coetsh y tali-ho yn llond o gynghorwyr trefol y Rhyl ar ei ffordd i ryw achlysur dinesig, tua 1910. Rhedai F.H. Heathcote y goetsh fawr oedd yn gyflawn â chorn post (gweler wrth dde'r cerbyd) ac roedd i'w weld yn aml yn cludo ymwelwyr i atyniadau lleol fel castell Bodelwyddan.
The Tally Ho coach with its complement of Rhyl Urban District Councillors on its way to some civic function, c. 1910. Operated by F.H. Heathcote, together with post-horn (see right of coach), it was a familiar sight conveying passengers to local beauty spots such as Bodelwyddan Castle.

Gweithwyr yn peintio Pont Victoria, Corwen, tua 1910. Oherwydd nifer y dorf, mae'n bosib i'r llun hwn gael ei dynnu yn fuan wedi codi'r bont ym 1907. Roedd y bont hon, a enwyd fel cofeb i'r ddiweddar Frenhines, yn cymryd lle pont bren.

Workmen painting the Victoria Bridge, Corwen, c. 1910. Because of the number of spectators, this photograph may well have been taken soon after the erection of the bridge in 1907. The structure, named in commemoration of the late Queen, replaced a wooden bridge.

Rhes o foduron yn aros i fod y cyntaf ar draws y ffordd arfordir newydd chwech milltir o hyd, 1923. Cymerodd y ffordd o'r Rhyl i Gronant ddwy flynedd i'w chwblhau, fe gostiodd £36,000 ac fe'i hagorwyd ar 21 Medi y flwyddyn honno.

A queue of motor-traffic waits to be the first across the new six-mile coast road, 1923. The Rhyl-Gronant road took two years to build, cost £36,000 and was opened on 21 September in that year.

Y dorf yn aros i weld gwasanaeth hofranlong British United Airways/Vickers Armstrong yn gadael Y Rhyl am Wallasey, Gorffennaf 1962. Dechreuodd y gwasanaeth byrhoedlog hwn ar 20 Gorffennaf yn y flwyddyn honno. Roedd yr hofranlong yn mynd am 50-60 milltir yr awr ac yn cymryd rhyw ugain munud i gyflawni'r daith o bedair milltir ar hugain gyda'i phedwar teithiwr ar hugain. Achosodd ei ddyfodiad a'i ymadawiad cryn gynnwrf ymysg yr ymwelwyr haf. Hwn oedd y gwasanaeth hofranlong masnachol cyntaf yn y wlad. 14 Medi 1962 oedd dyddiad olaf y gwasanaeth.

Crowds waiting to see the departure from Rhyl of the British United Airways/Vickers Armstrong hovercraft service to Wallasey, July 1962. This short-lived service began on 20 July in that year. The craft travelled at 50-60 mph, taking its maximum of 24 passengers about 20 minutes to complete the 24-mile journey. Its arrival and departure caused a great deal of excitement amongst the holidaymakers. It was the country's first commercial hovercraft service. Its last journey took place on 14 September 1962.

Mae'r dorf, yn ôl y dyb, yn gwylio'r tren cyntaf i gyrraedd gorsaf Llangollen a agorwyd ym 1865. Roedd y lein o Langollen i Gorwen yn cael ei redeg gan GWR ac yn cludo teithwyr a nwyddau. Caeodd ym 1968 ond mae'r orsaf, a'r lein cyn belled â Charrog, wedi ei adnewyddu a'i ail-agor gan Gymdeithas Rheilffordd Llangollen.

The crowd are reputedly watching the arrival of the first train into Llangollen station, which opened in 1865. The line from Llangollen to Corwen was run by the GWR (Great Western Railway), and carried passengers and freight. It closed in 1968, but the station and line as far as Carrog have been restored and re-opened by the Llangollen Railway Society.

Gorsaf Berwyn ar y rheilffordd o Langollen i Gorwen, 1910. Roedd yna le i'r orsaf-feistr fyw uwchben swyddfeydd yr orsaf.

Berwyn station on the Llangollen to Corwen railway line, 1910. There was residential accommodation for the station-master on the first floor, above the station offices.

Ail bont ffordd y Foryd yn nesáu at ei chwblhau ym 1931. Fe'i cwblhawyd am gyfanswm o £66,000 gan yr un gwnaethurwyr â phont harbwr Sydney, ac fe'i hagorwyd ym mis Mehefin 1932. Cysylltodd â'r ffordd newydd o Foryd i Bensarn a chymerodd le y dollbont, a ddymchwelwyd yr un flwyddyn, ac a achosai i drafnidiaeth i oedi'n hir ac i fynd allan o'u ffordd i geisio osgoi'r doll. Adeiladwyd y bont ffordd gyntaf ym 1861 ar safle fferi.

The second Foryd road-bridge nearing completion in 1931. It was finished for a total cost of £66,000 by the same makers as the Sydney Harbour bridge and opened in June 1932. It linked up with the new road from Foryd to Pensarn and replaced the tollbridge, demolished the same year, which had caused queues of traffic and troublesome detours to avoid paying the tolls. The first road-bridge had been built in 1861 on the site of a ferry crossing.

Teithwyr yn aros am ddyfodiad tren i orsaf Dinbych ar 23 Mehefin 1920. Mae'n bacio'n nôl i'r platfform ar ôl mynd heibio ar y lein pellach.
Passengers awaiting the arrival of a train on Denbigh station on 23 June 1920. It is backing into the platform after passing through on the farther line.

Tren LMS y dref yn nesáu at unig blatfform Dinbych yng nghanol mis Medi 1961. Roedd y trên, yr hanner awr wedi naw y bore o Ruthun i fod yng Nghaer erbyn unarddeg. Mae hwn yn dangos Dinbych yn hwyrddydd ei oes gan fod gwasanaethau i deithwyr wedi eu dileu o fewn llai na blwyddyn, ar 30 Ebrill 1962.
The LMS (London, Midland and Scottish Railway) up-train approaching the single platform at Denbigh in mid-September 1961. The train, the 9.30 am from Ruthin, was due in Chester by 11.00 am. This shows Denbigh station in its twilight years as passenger services were withdrawn in less than a year, on 30 April 1962.

Ymwelwyr haf yn aros i deithio ar y tren i Stoke-on-Trent yng ngorsaf Y Rhyl ar 7 Gorffennaf 1960. Rhedai'r tren hwn, oedd yn ymadael am 11.05, ar y Sadwrn yn unig gan alw ym Mhrestatyn, Caer a Crewe cyn diwedd ei siwrne.

Holidaymakers waiting to board the Stoke-on-Trent train in Rhyl station on 9 July 1960. This train, which departed at 11.05 am, ran on Saturdays only and called at Prestatyn, Chester and Crewe before its final destination.

Eisteddfod Corwen, 1919. Mae cael maes parcio yn un o'r hanfodion i'w hystyried os am wahodd yr Eisteddfod Genedlaethol. Mae'r uchod yn dangos y nifer annisgwyl o foduron ar faes parcio Eisteddfod Corwen ar 7 Awst 1919.

Corwen Eisteddfod, 1919. Car parking is one of the many elements to be considered in planning a visit to the National Eisteddfod. The above photograph shows the surprising number of motor-vehicles at the Corwen Eisteddfod in 7 August 1919.

Capten a Mrs Best ar fin cychwyn o Blas Feifod, Llangollen, 1901. Cofrestrwyd eu modur Argyll gyntaf ym 1903 pryd y'i disgrifiwyd gyda chorf lliw clared, injan deg marchnerth ac yn pwyso tri chanpwys ar ddeg.

Captain and Mrs Best about to set off from Vivod Hall, Llangollen, 1910. Their Argyll car was first registered in 1903 when it was described as having a claret-coloured body, a 10 horsepower engine and weighing 13 hundredweight.

Er nad yw ffyrdd osgoi'n boblogaidd gyda phawb, ers agoriad ffordd osgoi Llanelwy ar yr A55, mae'n rhaid dweud nad yw'r tagfeydd traffig byth mor ddrwg ag y gwelir yn y ffotograff hwn o gerbydau yn sefyll yn y dref Dydd Sadwrn, 28 Gorffennaf 1962. Mae'r llun isod yn dangos motobeiciwr o'r heddlu yn agosáu at bont Glanclwyd gan arwain gorymdaith o gerbydau ar ôl y seremoni i agor y ffordd osgoi ar 30 Gorffennaf 1969.

Although bypasses are not universally popular it must be said that since the A55 St Asaph bypass opened, traffic congestion is never as bad as seen in this photograph of stationary vehicles in the town on Saturday 28 July 1962. The lower photograph shows a police motor-cyclist approaching the Glanclwyd bridge at the head of a procession of vehicles after the ceremony to open the bypass on 30 July 1969.

Rhan o weithlu Ellis, Rhuthun, tua 1910. Yr oedd R. Ellis a'i Feibion yn gynhyrchwyr dŵr mwynol yn Stryd Mwrog, Rhuthun, a sefydlwyd ym 1825. Eu harwyddnod oedd gafr Cymreig a'r geiriau 'Cymru am byth'. Roedd yn un o brif gyflogwyr y dref, ac roedd y gyrrwyr hyn yn dosbarthu'r dŵr i gwsmeriaid lleol, tua 1910.

Part of Ellis' workforce, Ruthin, c. 1910. R. Ellis and Sons were mineral water manufacturers in Mwrog Street, Ruthin, established in 1825. Their trademark was a Welsh goat and in Welsh 'Wales for ever' and they were one of the largest employers in the town. These drivers distributed the bottles of table-water to local customers, c. 1910.

Staff rheilffordd a bysiau GWR y tu allan i orsaf Corwen, tua 1920. Roedd gwasanaethau bysys yn cysylltu â Cherrigydrudion, Llandrillo ac ar y Sadwrn â Llangollen.

Railway and GWR bus staff outside Corwen station, c. 1920. There were connecting bus services from the station to Cerrigydrudion, Llandrillo and on Saturdays to Llangollen.

Garej bysiau'r Rhosyn Gwyn yn Nyserth, tua 1920. Roedd gan y Brodyr Brookes, y cwmni bysys lleol mwyaf llwyddiannus mae'n debyg, orsafoedd mor bell o'u pencadlys yn Y Rhyl â Dinbych. Fe'i pwrcaswyd gan gwmni bysys Crosville ym 1930.

The White Rose bus company depot at Dyserth, c. 1920. Probably the most successful independent local bus company, Brookes' Brothers had depots as far away from their base in Rhyl as Denbigh. They were purchased by the Crosville bus company in 1930.

Gweithwyr rheilffordd, Rhuthun, yn dadlwytho sachau o fwyd anifeiliaid yn y warws nwyddau yng nghorsaf Rhuthun, 1940au diweddar. Mae canolfan grefft Rhuthun yn sefyll ar safle'r hen orsaf yn awr.

Railway workers, Ruthin, unloading sacks of animal feed at Ruthin railway station goods depot, late 1940s. The Ruthin craft-centre now stands on the site of the old station.

Gwasanaeth bws lleol Eddie Peters o Graianrhyd, mae hwn ar fin cychwyn o du allan i dafarn y Raven, Llanarmon-yn-Iâl i Gaer, tua 1950.
The local bus service run by Eddie Peters from Graianrhyd; this bus is about to leave from outside the Raven Inn, Llanarmon-yn-Iâl to go to Chester, c. 1950.

Modurdy Ffordd Wellington, Y Rhyl, tua 1930.
Wellington Road Garage, Rhyl, c.1930

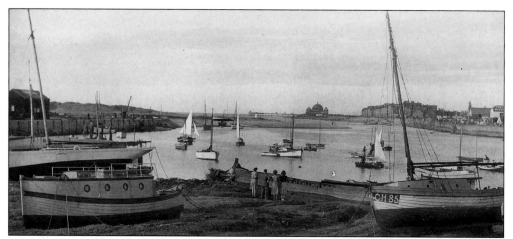

Harbwr y Foryd yn edrych tuag at y dwyrain gyda rhes hir o wesdai Rhodfa'r Gorllewin ac arwyddnod arbennig y Pafiliwn, 1949. Gwelir ar y chwith glanfa Charles Jones, adeiladwr ac atgyweirydd llongau oedd â'i fusnes teuluol yno am dros ganrif. Roedd yr harbwr erbyn y cyfnod hwn, fel rwan, yn cael ei ddefnyddio'n bennaf gan gychod pleser gan fod dyddiau y sgwner, barque a'r barcentîn wedi mynd heibio.

Foryd harbour looking east towards the long line of guest-houses on the West Parade and distinctive landmark of the Pavilion, 1949. The jetty of Charles Jones, a boat-building and repairer's business that was located there for over a hundred years, can be seen on the left. The harbour by this date, as now, was chiefly used for pleasure craft and gone were the days of schooners, barques and brigantines.

Staff yng ngorsaf Trefnant, tua 1900. Rhedai'r rheilffordd trwy Drefnant o gyffordd y Foryd, ger Y Rhyl, mor bell â Dinbych o 1858, ac erbyn 1964 mor bell â Chorwen. Ail-leolodd cwmni'r LNWR gapel er mwyn codi'r orsaf. Caewyd y lein yn y 1960au ac mae byngalows ar y safle bellach.

Staff at Trefnant station, c. 1900. The railway through Trefnant ran from Foryd junction, near Rhyl, as far as Denbigh by 1858 and Corwen by 1864. The LNWR (London and North West Railway) Company relocated a chapel in order to accomodate the station. The line was closed in the 1960s and bungalows have been built on the site.

Cydnabyddiaethau

Hoffai Archifdy Sir Ddinbych ddiolch i bob unigolyn sydd wedi cyfrannu ffotograffau ar gyfer eu hatgynhyrchu yn y gyfrol hon; gan gynnwys y rhai oedd eisoes wedi darparu deunydd ar gyfer casgliad y sir a'r rhai a ymatebodd i'r apêl gyhoeddus ar gyfer y prosiect hwn. Dylid enwi yn arbennig Thomas Hughes, Rhuddlan; Tony a Mary Lewis Jones, Rhewl, Mostyn; Mr Merrick, Prestatyn; John Nickels, Y Rhyl; R M Owen, Dinbych; Mrs A Parry, Rhuthun; Graham Rogers, Llai a Mrs Kathleen Webb, Llanbedr. Mae Llyfrgell Genedlaethol Cymru a Llyfrgell Y Rhyl hefyd wedi cyfrannu lluniau.

Yn ogystal, derbyniwyd cymorth gwerthfawr gan staff Gwasanaethau Diwylliannol y Gyfarwyddiaeth Addysg a Diwylliant, Cyngor Sir Ddinbych wrth baratoi'r llyfr hwn.

Acknowledgements

The Denbighshire Record Office would like to thank all the individuals who have contributed photographs to be reproduced in this volume; both those who had already provided material for the county's collection and those who responded to the public appeal for this project. Special mention should be made of Thomas Hughes, Rhuddlan; Tony and Mary Lewis Jones, Rhewl, Mostyn; Mr Merrick, Prestatyn; John Nickels, Rhyl; R M Owen, Denbigh; Mrs A Parry, Ruthin; Graham Rogers, Llay and Mrs Kathleen Webb, Llanbedr. The National Library of Wales and Rhyl Library have also contributed photographs.

Invaluable assistance has also been received from staff in other sections of the Cultural Services Section of the Directorate of Education and Culture, Denbighshire County Council, during the preparation of the book.